こちら葛飾区亀有公園前派出所㉒

秋

こちら葛飾区亀有公園前派出所㉒

目次

友人代表…の巻

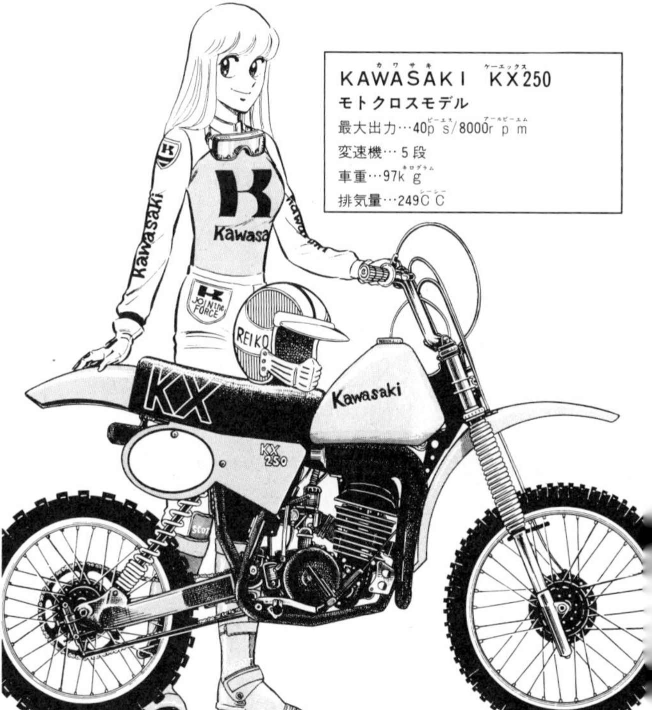

KAWASAKI《カワサキ》 KX《ケーエックス》250
モトクロスモデル
最大出力…40ps《ピーエス》/8000rpm《アールピーエム》
変速機… 5 段
車重…97kg《キログラム》
排気量…249CC《シーシー》

葛飾区立青少年会館
結婚バンザーイ
バンザーイバンザーイ!
みなさん本日はどうも…
がんばってこいよ!
気をつけてな!
わははは

寝ほう
しちまった
もう 式が
始まってる
よ!
また
部長に
どやされるぞ
いそげ!
キキッ
それでは
新郎の
ごあいさつ
を!
パチ
パチ
えー
本日は……
おいそが
しいところを
わざわざ……
うわっ
ガシャーン
ぎゃあ
ーっ

あいてててなんだ!?
なにかにあたったぞ!
あっ
ははは こりゃ どうもブレーキがきかなかったもんで…
よいしょっと
あららとれちゃった!
いそいでいるもんでちょっと!

くそっ また ハンドルが まがっちまった!
ガッガ
してる場合じゃない! ますます おくれる!
ガッガッ
しっかり して!
おそろしい 悪魔のような 人間だ!
おじさん 結婚式 どこで やってるんだ!?
え? どちら さんですか?
じむしつ
どちらさんって オレだよ! 両津勘吉《りょうつかんきち》 きわめて健康!
そうじゃ なくて お式 なさる方の お名まえ

石川《いしかわ》だよ わしの友人の 石川だ! 今日 1時から ここで やるんだよ
少しょう おまちください…今日は こんでまして えーと……
石川さん でしたら 1階の 藤の間です
そうか サンキュー
藤の間 ……藤の間 ……と
広すぎて よく わからんぞ…
おや あの男は ……?
きっと うちの組の わけえしゅ じゃないか…
あにさん どうぞ こちらです おまちしてました!
おっ そこか!

みんなきているのか?
へい全国からあつまってますぜ
組長出所祝
全国からきてるのか…親せきが多いんだな
そりゃあもう〜身内の者はあちこちにいますからね
近ごろじゃ世間の目がやかましくてこのような場所しかみつからなくて……
そうかあいつもよほどゆるされぬ事情があったのか…
いつの日か世間もわかってくれる日が くるよ心配するな
おっしゃるとおりで………
あいつにもそういってはげましてやらねばな
えっおしりあいですかい?
まあな!「オレ おまえ」の仲だよ!
こりゃどうもおみそれいたしやした
なんだ男ばかりか…味も そっけもないな!
そこでおまちくださいすぐ 始まりますから

へへへ
いい料理がでてるな
これだけがたのしみできたんだからな！
ちょいとごめんよどいてくれ
おっとどうも…
おたくみかけん顔ですな
今日はどちらから………?
署でこの服かりてきたからな
ほう署から…署に自由に出いりできる身ですか?
もちろんだ今じゃ自分の家みたいだナベやカマまでもちこんでるしな………
じゃあかなりの情報が入手できるわけですな
べつにそんなこと気にしたことないがな…
よゆうですなあよほどの部下をおもちで…
たいしたことないですよボンクラどもの役だたずで…
さぞかし若いころは世間をさわがせたんでしょう
今でも十分《じゅうぶん》さわがせていますがね

今後とも おつきあい したいですな よろしければ お名前を…
警視庁 警ら係 両津巡査長 ですよ
は? 警視庁 警ら係?
そう 巡査長!
シャレも きつい! さすが 大物ですな
いやあ はっはは
それじゃ おたくの力で 少しょう おききしたい ことが あるのですが
ふむふむ 力に なりましょう
A《エー》ルートから 来月 大量の ハジキが はいる 予定なんです が……
なにっ 拳銃だと!?
警官が そんなこと していいと 思ってるの か!
なにっ あんた 本物の…!!
おい! 警官が まぎれこんで いるぞ!
なにを いうか! まぎれていて どこが 悪い! あたりまえ だろうが!
あっ 先輩だ!

おっ 中川《なかがわ》か！ きいてくれ こいつら…
式場がちがいますよ となりですよ！
なんだと!? となりで警察官の結婚式をやってる!?
よりによって同じ日にやるバカがあるか！ だれが ここにきめたんだ！
すみにくい世の中になってきたな…
おそいからフロントできいたらとっくにきてるというからさがしていたんですよ！
中川 あいつら じつはな…
新郎の石川くんはまことに………

部長の
いったとおり
ほかの式場に
まぎれて
ました…
おおかた
そんなこと
だろうと
思ってたよ
そうだ!
金もって
きたんだ
始めに
わたさない
と……
あとにしろ
もう
始まって
いるんだ
からな
もっていると
使っちまい
そうだから
早く わたして
きます!
おい
やめんか
こらっ
まて!
どうも
おやじさん
このたびは
えらい
ことで…
これは
これは
両さん
わざわざ
どうも!
これ
つまらない
もんですが
………
ぬっ
御霊前
両津
なにか
かわったこと
でも…?
い いえ
べつに!
本当に
つつがなく
初七日を
むかえまして…
運よく
仏滅と
かさなりまして
じつに
めでたいこと
で………
両津
あいさつは
あとにしろ
こらっ!

ちゃんとおとなしくすわっていろ今日は署長もみえてるんだぞ!
なにせ初めてなもんで!
わたすもんわたして安心したら急に ハラがへってきた
このサシミおいしそう
ギロッ
わしがいいというまで手をつけたら始末書だぞ
これだけ目の前にして手をつけられないのかよ
まるでごうもんじゃ
手がだめなら口がある!
パク
こらっ両津!!
きさまは犬か! なんて意地きたない男だっ おい!
部長ちょっと

い いや は・は・は その!
つづけてください なんでもありません どうぞ!
それでは友人を代表しまして両津さんにあいさつを…
パチ
パチ
え!? わ わしがやるのか!?
ねねえ 部長 お祝いのあいさつってどういうんです?
そうよ ちゃんとあいさつしてよ!
くそ! 無視しやがって!
え〜〜〜 このたびはお日がらもよく……
石川とは競馬仲間でよく 中山《なかやま》へいきました 石川は じつに買い方がセコイ男でして…
そのくせ友人に借金するわ上司に前がりするわで金使いのあらい男で…
話題をかえなさいよ
そ… そうか…

話題をかえます 石川は じつに友人思いの人間です
そう そう…
先日など あやまって撃った タマの数をごまかしてくれ かわりに タマを4発も いただいたり とても友人思いでして……
あっ いけね!
両津 今の話は本当か!?
ガタ
……うぬぬ
部長 おちついてください
もう そのへんにしといたほうがいいんじゃない?
そ… そうか
最後に 石川くんの前途と ご冥福《めいふく》を 心より おいのり いたします
以上 おわり!
ペコ
すまんが わしは 先に失礼する 血圧が また あがったようだ
だいじょうぶですか?

部長さん帰っちゃったわよ！しようのない人ね
わしが原因だというのかよ
ちょっといってくる！
そうよちゃんとあやまってきなさいよ
トイレだよ便所！
いやあ無事にすんでよかった！早く帰ろうぜこんなやばいところ！
ガヤ
ガヤ
まったくだ！
となりが警察とはな……
先輩はこういう席は体質的にあわないようだな
本当ね
さっきは変なお巡りにあうし…やばかったな！
まったくだぞ！
いてっ
ドッ
うわっ

気をつけろいてめえっ
そっちこそよけろ!くそっ
あっおまえはさっきの!
いけねまずい!
あっ拳銃!
きさま本当に銃をさばいていやがったな!
しらんしらん!
うわっ
大変ですろうかで銃をもってあばれてます!
なんだと!?
すぐかけつけろ!

先輩がまだ帰ってきてないけどまさか…
ドドド
そのまさかのようよ…
あそこです!
よし!
おいみんな!こいつら銃の売人だ!!
ダアッ
なんだとっ
うぎゃお巡りだらけだっ
警部!本当に銃をもってます
よし!全員つかまえろ!!

にげるか
こいつ
まてっ!
うわっ
くそ!
おっ おまえは
指名手配中
の男!
ちがう
ちがう
人ちがい!
にげる
気か!
まて
こらっ
ばかもの!
わしは
刑事課の
主任だ!
あっ
これは
どうも
申しわけ
ありません
あなた!
どこへ
いくの!
仕事だ!
式は
あとまわし
だ!
WEDDING
きゃあ

★週刊少年ジャンプ1979年26号

曇り!?の巻

ハーレーのち

AMF Harley-Davidson
ピタ
Harley-Davidson
じ〜〜ん
つ…ついに買ったハーレーダビッドソン！
この重量感 多くのメーター類 大型タンクに大型シート
まさに男のステータスシンボルだ
とうさんハーレーとどいたんだって！
良夫《よしお》か 学校 もう おわったのか……

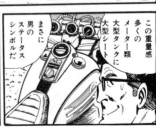

すげえなあ かっこいい ぼくの原付とはカクがちがうなあ!
とうさん今度うしろにのせてよね! いいでしょ
ははは よし よし!
おまえのマメタンとツーリングでもやるか!
本当!? 楽しみだなあ
明日クラスのみんなに自慢できるよ
とうさん みなおしたよ!
みよ あの喜びよう 父親の威厳をとりもどせた……!
じ〜ん
ふだんはわしをダメなオヤジと思っている…… 会社でもうだつのあがらない 弱い父親像だったんだ……
とうさん宿題やっといてよ
そんな ある日 あいつは わたしの古いアルバムをみて…
あ!
昭和23年 自宅にて
このバイク陸王《りくおう》じゃないか! これ だれの写真? まさか とうさんじゃないよねえ…
その写真か… 30年ほど前に家で のっていたやつだ…

えーっ じゃあ これ とうさん? とうさん バイク のれるの!? 自転車も のれないと 思っていた！
当時は けっこう 元気が あった んだ 今は ダメおやじ だがな
とうさん すごいよ！ こんなバイクに のれるなんて 尊敬しちゃう なあ へえ！
え？
あの時の 良夫の目… 父親を 尊敬する まなざし だった！
その時 わたしは 息子の 尊敬を うるのは これだ！ と思った ロックや ディスコは 完全に ついて いけぬ世代 若者との ふれあいは バイクに ある…！
これは すごい！ ご主人が のられるん ですか? ずいぶん大きな 単車ですな…
いやあ おはずかしい 昔 ちょっと ころがして いたものでね
あの目！ 「まさか こんなのに のれんだろう」 と うたぐる 反面 「すごい なァ」と みなおしている
自己顕示欲《じこけんじよく》の 強い となりの 人で さえも 見方が かわる それだけ このハーレーは 相手に 威圧感を あたえる！

せいぜい事故で死なないでくださいよ！葬儀代もバカになりません
これはどうも…
勝った！あの程度の皮肉しかいえん　圧勝だ
「ちょっところがしていた」というセリフはよかった！
いかにもバイクをきわめているという感じ……それでいてひかえ目なひびき
わが愛するバイクちゃんきみはじつにいい友だ
今日からきみをダビちゃんと命名しよう
無理をしてきみを買ったかいがあったよ
明日の日曜日は町内をひとまわりしてこよう

じゃ かあさん ちょっと バイク ころがして くるよ
気をつけて くださいよ
ちょ ちょっと きまりすぎて しまったかな? 中年としては…
バ
タ
ン
いや! このくらいのダンディズムがなくては いかん そこらへんの暴走族とは ちがうんだからな……
中年のアダルトなしぶさがないとのれん!
ズシ
しかし いざのってみるとかなり大きいな だいじょうぶかな
なんの! 昔 陸王でとったキネヅカだ
走ってしまえば なんとかなるだろう

ローギヤは
たしか
前に
ふみこむん
だっけ?
ズズ
うわっ
ギュウゥッ
ズズズッ
犬のことなら池田屋
やった
これだ!
この感覚が
よみがえって
きたぞ!
ドドド
よ よし!
人通りの
多いところへ
でてみよう
ドドドドドド
なあんにもや
伊自良病院
ホステスさん募集!
キャバレー

日本料理 水月 ←
ドッドッドッドッドッドッ
みとる みんなが注目している
視線をあつく感じる…
わざとらしく ここでとまって じっくりみせよう
キキッ
おい みろよ ハーレーだぞ かっこいいな
一度でいいから のってみたいなあ
く…く きこえる うわさをしとる…!

そして
わたしは
さりげなく
この場を
さっていく
たばこ
切手
はがき
たばこ
すげえ
ハーレー
FLH《エフエルエッチ》を
ウイリー
させて
走って
いったぞ
すごい
テクニック
だなあ
ばこ

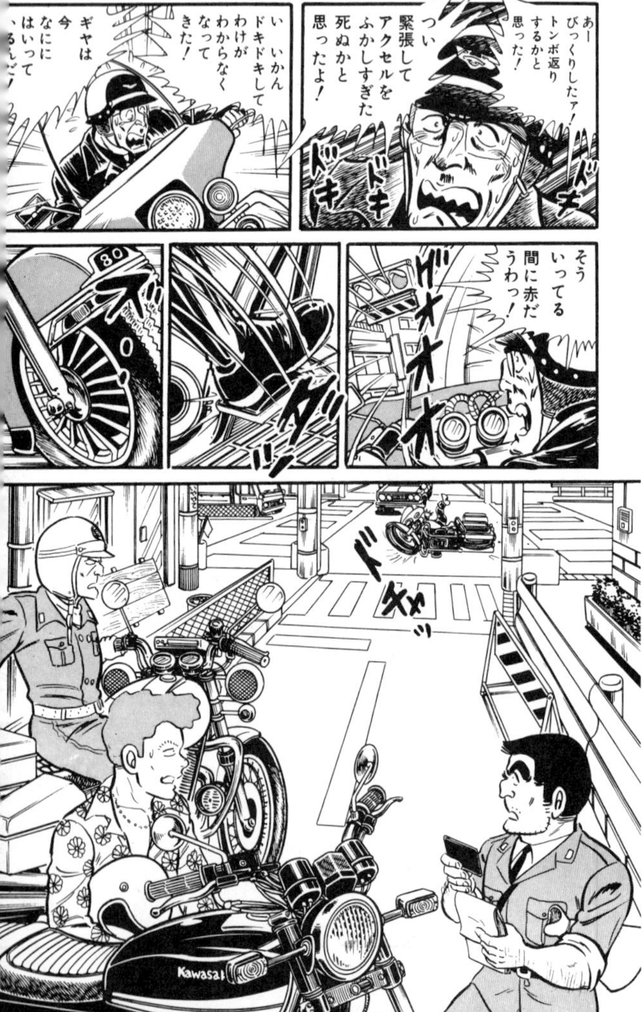
あー びっくりしたァ! トンボ返りするかと思った!
つい緊張してアクセルをふかしすぎた死ぬかと思ったよ!
ドキドキ
ドキドキ
い いかん ドキドキしてわけがわからなくなってきた!
ギヤは今なににはいっているんだ!
そう いってる間に赤だ うわっ!
ゴオオオオ
80
ダダッ
ドタッ

光景だ ハーレーが こけてるぜ
まったく なにやってんだ あいつ!
あっ
とんずら する気か!
わっ
オレから にげよう なんて いい度胸して やがんなっ
ひいっ! ゆるして ください
本田《ほんだ》 あいつ こまって いるぞ
なに!?
プップー
本人は 必死に おこそうと している らしい……
さよなら 東大
ちょっと みにいって やろうや
てめえっ 今度 にげやがったら ひき殺すぞ わかったか!
ひいっ ははいっ

まったく！近頃のガキはこすい根性していやがるぜ！
おい 本田……
おまえ バイクおりているんだぞ！
え!?
気合いをいれこんでると時間がかかるんだ やあねえ ぼくって ははは
それならいいが コミックス16巻ではいっぱい抗議の手紙がきたからな 気を
おい だいじょうぶか… おっさん ひとりで…
あ お巡りさん 手伝ってもらえますか！
おい 本田 おまえ そっち もってくれ
えっ ぼくが…
無理よォ そんなことしたら手がいたくなってしまう
まったく だらしねえなあ！ よいしょっと

力だして
ひっぱれよ
おまえの
車だろう
が！
グイ・・・
これでも
精一杯
やって
ます
本田　無線で
冬本《ふゆもと》をよべ
やつは　今日
署にいる
はずだ！
はあ〜い
わかりました
なにも
すき このんで
あんな重い車に
のることと
ないだろうに
まったく！
おこまりの
ようですね
手伝い
ましょう
これは
どうも！
おっ
きた
きた……
ドドド
ドド
あいかわらず
イダ天だな
連絡して
まだ　一分と
たってないぜ

ドドドド
ガオオム
よっ 本田 ひさしぶりだなァ とりしまりの件数が署で一位だそうだな
へへへ おれはヘビ年でしつこいからなとことんおいつめるぜ
ところでなんだい急用ってのは?
じつはバイクがな……
ドドドドド
あっ

大変だ！ハーレーがうばわれたんだ！
なんだと!?
ドドドドド
おこしてもらったらそのままのりにげされたんだ
ちっドジめ！
にがしゃしねえぞ
わしもいくぞ！
せっかち人間のコンビじゃ犯人も災難だな
たのむ！わたしもつれていってください

わっ ハンドルから 手を はなした！
おまえさんも ハーレーに のってるん だろ 300キロの 安定性が わかんないのか
もうちょい 近づくから とばすぜ！
ヴオオオ
うたないで くれ！ わたしの ダビちゃんに キズを つけんで くれっ
おい 本田！ オーナーから 無キズで つかまえて くれだとよ
…って ことだぞ わかったか
無キズか… むずかしい 問題だな…
とりあえず あの重量車の 前にでよう 加速にかけちゃ こっちのが 数倍上だぜ
いやっ ほうーっ

うわっ
オ
すみやかにとまりなさい!
きみはもうダメだ!
グオオオ
ちくしょう! バカにしやがって!
やけくそだ ぶつかってやる!
ああ! 本田 ぶつかる ぶつかる!
よっしゃっ!!

ガオオオオオッ
おっと!
パッ
本田
暴れ馬にはこれに
グオオオ
えらいことになってきた…!
あっ
ツ
うわっ
つかまった!!
グオオオ

★週刊少年ジャンプ1979年45号

カサ行脚の巻
亀有公園前派出所
本日の交通事故
死亡 1
負傷 23
花を大切に
御自由に
お使い下さい
警視庁 亀有公園前派出所
おでかけ前に
ひと声かけて
首しめて
警察官募集

部長 おはようございます
おはようございます
外の置きガサ とうとう 一本も返って こなかった ようだな
でも まだ 3日目よ これから 返しに くるかも しれないわ
あまい あまい!
せちからい 世の中 だからねえ 現代は!
〝人情 紙のごとし〟 下町も 薄情に なってきたよ
まだ わからない でしょ まだ!
わかるよ! 今どき タダで 貸す なんてないぞ! わしなら 絶対 金を とるからな!
わしが 借りたら 返さずに 駅で売るし……
いや! つまり…… そのような 考えの人間も いるから 注意しようと いうことで……
そういえば 入場券で 電車に のって 山手線《やまのてせん》の わすれたカサを 集め回ってるって 先輩のことですか?
ば ばかいうなっ なんで わしが そんなことまで するんだ!

そりゃ たまに電車にのった時に警察官として遺失物《いしつぶつ》のカサを一時 保管することもあるが……
せいぜい5～6本くらいだ
それを署で売ってるときききましたよ
とにかくもう一度やってみようじゃないか…
今度はみんなで協力して 買うことにしよう中川たちは二千円ずつ負担してくれ
両津は一万円だ
えーっ一万円!
なんで自分だけ一万円なんですか!?
カサ販売の売りあげがあるだろう そこから
なん度やっても同じですよ絶対に返ってきませんよ
つべこべいうな!
ドブに金をすてるようなものですよ!われわれの少ない給料をそんなことに使うなんてひどい!
部長は鬼のようだ偽善者!役者!独裁者!
部長!カサ買ったつもりで その金パーッと…ね考えなおして!
今なら まだ間にあう!千住《せんじゅ》で いい店

ちぇっ! とうとう 買っちまったよ!
御自由に お使い下さい
警視庁亀有公園前派出所
中川 このカサに 名前かいて おいたほうが いいんじゃ ないのか…
だいじょうぶですよ!
おまえは 二千円しか だしてないから そんなこと いえるんだよっ こっちは一万円 だしたんだぞ 一万円!
ちゃんと 全部に かいたほうがいい 人間 そんなに 信用できる 生き物じゃない
ヒモつけて おいたほうが まちがいないん じゃないのか!?
かえせ! 御自由に かえせよ! かえせ! お使い下さい ぜったいにかえせ!
そんなこと したら もち歩くこと できませんよ

あっ 夕立だ 少し ぱらついて きた……
先輩 中に はいってて くださいよ
どうも 心配だな
おっ いい ところに カサが あった！
たすかるよ 家までは ずいぶん あるからな！
おい ちょっと まて！
え!?
だまって いくこと ないだろ！ "ありがとう" ぐらい いって いったら どうだ！
あっ そうですね 借りて いきます どうも…
どうも 挙動不審な やつだな 初めから カサ かっぱらう 気じゃない のか……
まさか！ ちゃんと もって きますよ

どこにすんでいるんだ?
むこうにある神社の裏ですよここから15分くらいです
その程度ならカサは 必要ないだろう走っていけばすぐ つく!
そりゃないですよほら!ますます降りがひどくなってきた
どうしてもこのカサを借りたいというのか…
そりゃそうですよ
じゃちょっと中に はいれ手続きをする!
え!?手続き……
まず自分の身元を証明するものをだせ!免許証 保険証住民票……
保証人が必要だあと 誓約書にサインをして実印をおすこと!
実印なんてもち歩いていませんよ
拇印《ぼいん》でもいい両手 両手全部だ!
ずいぶんきびしいな……
若いやつはとくに信用できんからな ん?

こらっ 勝手に もってっちゃ いかんぞ!
亀有公園前派
え? だって 御自由にと ここに かいて あるよ
かえせよ! 御自由に お使い下さい
警視庁亀有公園前派出
これは あくまでも 建前だ ちょっと こい!
まず 自分の身元が わかる物を だすんだ
そんな こと する のかよ!
お巡りさん このカサ 貸して いただけ ます?
どうぞ どうぞ よかったら 5〜6本 もっていって ください
なんだよ 女は かかなくて いいのかよ 不公平だぞ
よく きこえな かったなあ もう一ぺん いってみる か?
い…いいえ べ…べつに ほんの ひとりごと ですから…はは

ああ… 私 カサ あきらめます 帰ります
そうか… 遠慮深いなあ…
ガタッ
雨にぬれんよう気をつけて帰れよな
先輩 やりすぎですよ たかがカサ一本で…
二千円が一万円にそんないい方できるのかよ
こらっ おまえもちょっとこい!
かきおわったら全員 写真をとるからな! ちゃんとかけよ!
AGNES LUM

御自由に お使い下さい
だいぶ数がへっているなあ
なかなか全部はもどってきませんね
返却率50%《パーセント》というところだな
ほらみなさい私の いった通りでしょうが…
善意をあてにするような人間は現代に生きのびていけません！
くうかくわれるか！それが生きる鉄則です
なんだその格好は？
これからカサを回収して回るんです

なんだと? 一本 一本 回収して くるのか?
カサには 通し番号が うってあります その番号で 住所 氏名 年齢 職業 家族構成 すべて このノートに リストアップ されてます
警察から物を 借りて返さんとは ふとどき千万《せんばん》 都民に なめられ ないように ビシビシ とりたてて きます
今日 ヒマを もらいます 警察のメンツ がかかってる もんで…
まるで 高利貸しだな カサぐらいで ムキに なるとは…
なにしろ 一万円も だしているから 人ごとじゃ ないんです
えーと 亀有《かめあり》 一丁目の 39番…と
ドドドド
緑亀
キャバレー亀有
天和
コーヒー ガリバー

おっ このアパートだな…
名間草荘
こんな近くならカサなんかいらないじゃねえかっ
山口とよみ
おい こら! カサ返せ!
あけんかっ 警察だ おとなしくでてこい!
あの お巡りさん…
山口《やまぐち》さんなら会社にいってるよ
なにっ いないのか?
会社はどこにあるんだ?
丸《まる》の内《うち》にあるっていってたよ でかい会社らしいよ
丸の内だろうが福《ふく》は内《うち》だろうが かまわん 徹底的にさがしてやる!

ここだな あいつの 会社は…
不渡り商事 (K・K)
千代田区丸の内 大字丸の内 字丸の内
わしから にげきれる と思ったら 大まちがい だぞ!
バタッ
あっ 派出所の お巡り さん!?
なんで こんな ところ まで?
カサだよ きのう 貸した やつだ!

会社まで とりにくること ないでしょう それも 会議中に…
おまえが 返しに こないから わざわざ きて やったんだろ
大声ださないで くださいよ! カサは ロッカーに はいってます から……
ガウウ…
あとで お礼に 水菓子でも 派出所に もってくる 心がけが 必要だぞ
わかり ました いきますよ じゃ また!
山口くんは 警察に 世話に なるようなこと してるのかね ?
部長! 誤解です 私は ただ カサを借りた
ふう 一本 回収 するのに この苦労… 勤務より 疲れる!
ガタタン
まずは一本… えーと 次は だれに…
池田《いけだ》しゅんじ
15才 野球少年
橋本《はしもと》きんじ
12才 元'みなごろし'の頭
足立区《あだちく》中川《なかがわ》
岡田圭子《おかだけいこ》
よし
NOTE BOOK

うおっ!!
すごい
でかい家だな
本当に
ここなのか?
どちら
さまです
か?
はいっ
警察の者ですが
昨日　お宅の
娘さんに　貸した
カサをいただきに
まいりました
まあ
それは!
すぐに
いきます
少しょう
おまち
ください

どうも わざわざ おかげさまで 娘が とても たすかったと 申しており ました…
いやあ この近くを パトロールしてた もんでね ちょっと よって みました
じゃあ 本官は 仕事が ありますので これで……
まあ そんな! どうぞ 遠慮なく あがって いって
圭子が お巡りさんに ぜひ お礼をと 申してました 本当に 親切な 方だそうで…
な なんの あたり前の ことを しただけ ですよ
それじゃ 仕事が…
本当に いいじゃ ありませんか ちょっと くらい
圭子は 今朝《けさ》 早く ハワイへ 遊びにいきまして お巡りさんも 海へいきまし たの?
そ そうですか 本官は 千葉県《ちばけん》の 御宿《おんじゅく》へ いったきりで…

本当に わざわざ 勤務中に よって いただける なんて… うれしいですわ ゆっくりして らしてね
あら? お巡りさんも ゴルフ なさるん ですか?
え?
あっ これ… カサ回収用に …いや 多少やります 多少ね!
まあ そうですか 主人も やるん ですよ
それで ハンディは どのくらい ですの?
ハンディ? ハンディね… そうですね まあ 今なら 二万点は だしてますよ
まあ ジョークの うまい お巡りさん だこと ほほ
ははは ジョーク うまいでしょ ものまねも 得意なんですよ ジャイアント 馬場《ばば》や森田健作《もりたけんさく》 なんか

あっ こんなこと してる場合 じゃない あと8軒 残ってるんだ
あの 私 これから 凶悪犯人を 本庁へつれて いくもんで これで……
まあ 大変ですね お気を つけて！
荷物で しょうが お礼に もっていって ください どうぞ
こりゃ ナポレオンじゃ ないか！
COGNAC CAMUS NAPOLEON
そんな 別に物もらう ために きたんじゃ ないから…
遠慮なく どうぞ わざわざ ありがとう ございました
まいったな こりゃ タナから ボタもちとは このことだよ
しかし こんな酒 うまれて から一度も のんだこと ないからな へへへへ
COGNAC CAMUS NAPOLEON
次は この家だな
うむ まちがい ない！
星
とうちゃんのバカ

いや いいですよ そんな!
わざわざきてもらったのですからどうぞ!
またもらってしまったよ まるで托鉢《たくはつ》だなこりゃ!
カサとりにいくのに気がひけてきたな
あっお巡りさんがお酒もってあるいてる!
うるせえ あっちいけ!
CAMUS
このくらいで負けるか! くそ! ひらき直ってどんどんもらってやる!
次のやつはえーと
横須賀市《よこすかし》蛇沼《へびぬま》…なんだ神奈川県《かながわけん》じゃないか この男は!
本籍をかいたんじゃないのか!? まったく!
小林通《こばやしとおる》
26才
神奈川県 横須賀市 蛇沼4−63
かといってこれしか手がかりはないからな とにかくいってみよう
あと7軒だ 全部回収してやるぞ くそ!

両津はどうした あれから 3日も帰ってこないぞ
回収だなんて ウソついて 秋休みを とったんじゃ ないんですか!?
ジリリリ
はい こちら 亀有公園前《かめありこうえんまえ》……
両ちゃんからよ! カサ7本回収して 最後の人が 北海道《ほっかいどう》に 転勤になったん ですって 今 羽田《はねだ》空港に いるから 旅費貸して ほしいって いってるわ
すごい 根性だな! 刑事 顔負けだよ
まったく こんなことなら あいつに 金ださせるん じゃなかった…

★週刊少年ジャンプ1979年40号

苦走！の巻

時計、ラジオ
カメラ、ステレオ
なんでもOK
太田質店
立石駅前ヨーカ堂となり
ガタン
ガタン
ガタン
ガタン
ガタン
ガタン
はっ
はっ
はっ

チリリリン
毎朝がんばっているねえ
ガチャ
ガチャ
おはよう
あと500メートル……

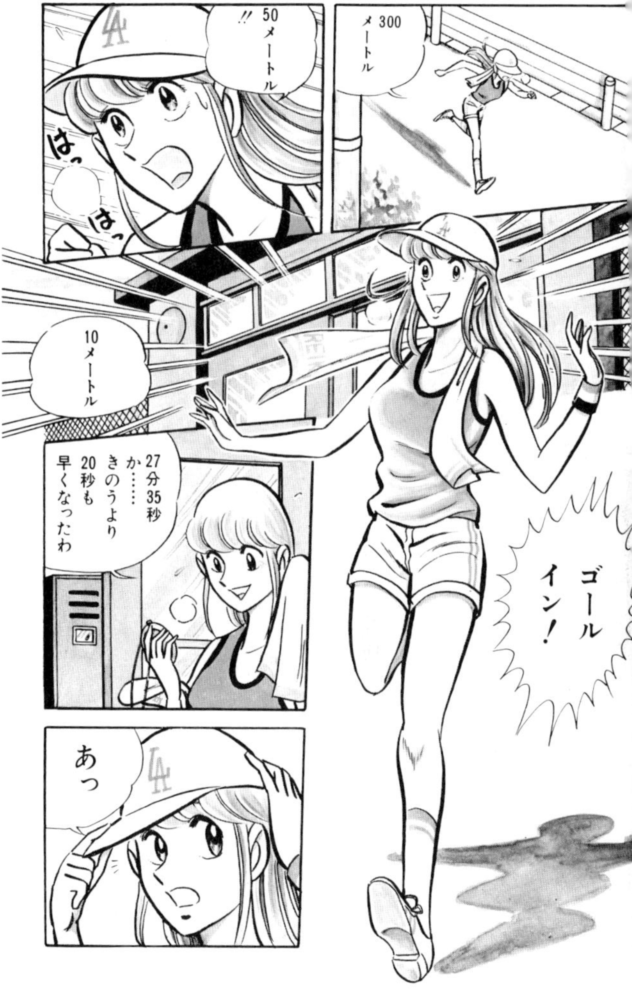

300メートル
!!
50メートル
はっ
はっ
10メートル
ゴールイン!
27分35秒か……
きのうより20秒も早くなったわ
あっ

MONKEY Z50M
まったくもう! 自分から早朝マラソンやろうといったくせに!
グゥオーーッ
こら! ちゃんと走らないとだめじゃない!
いってきたよさっき!
うそよ! 逆コースをいったんでしょ でも 一度もあわなかったじゃないの!
わしはおまえとあったぞ! おまえのほうが気づかなかっただけだ!
ふみきりのところで車とすれちがっただろうが…
ええ… たしかにすれちがったけど……
え!? それじゃあタクシーでまわったの!?
今日は体の調子が悪くてなやむをえんかった

タイムが 20分も ちぢまった すばらしいこと じゃないか!
なに いってるのよ! 3日目ぐらいで 音《ね》を あげてちゃ だめじゃないの!
警察官は ふだんから体を きたえておかないと いかん! とかいって たのむから いっしょに つきあってくれって たのんだのは だれ!?
よーく おぼえて いやがるな くそ!
もう一度 走って きなさい よ!
いてえ 顔に にあわず やることが 手荒い!
さあ 早く!
もう 日が のぼりきって しまったぞ もう 早朝マラソンじゃ なくなった!
変な いいわけ してないで 走るのよ!
今日も元気だ おまわりさん
花を大切に

ヴオオオム
いよう ご両人！
あっ 本田じゃ ないか！
ドドドド
なにやって いるんだ？ 朝っぱら から？
おまえこそ こんな 朝早く パトロールか？
こいつは 寝おきが 悪くてな だから 早朝 マラソンで エンジンを きたえてんの よ！
機械に きげんなんか あるのかよ!?

先週
本田から
もらったやつ
完成したぞ
なによ
それ…
動くの？
あたりき
しゃりき
車ひきよ！
3日もかかって
つくったんだ
からな！
いいか
よく
みてろよ
！
いよっ
パン
パン
パパ
あっ
エンジンが
かかった！
このバイクは
のり方が
むずかしい
パン
パン
パン
パン
すごい
ちゃんと
走るじゃ
ない！
いやっ
ほう！
パルパルパルパル
パルパル

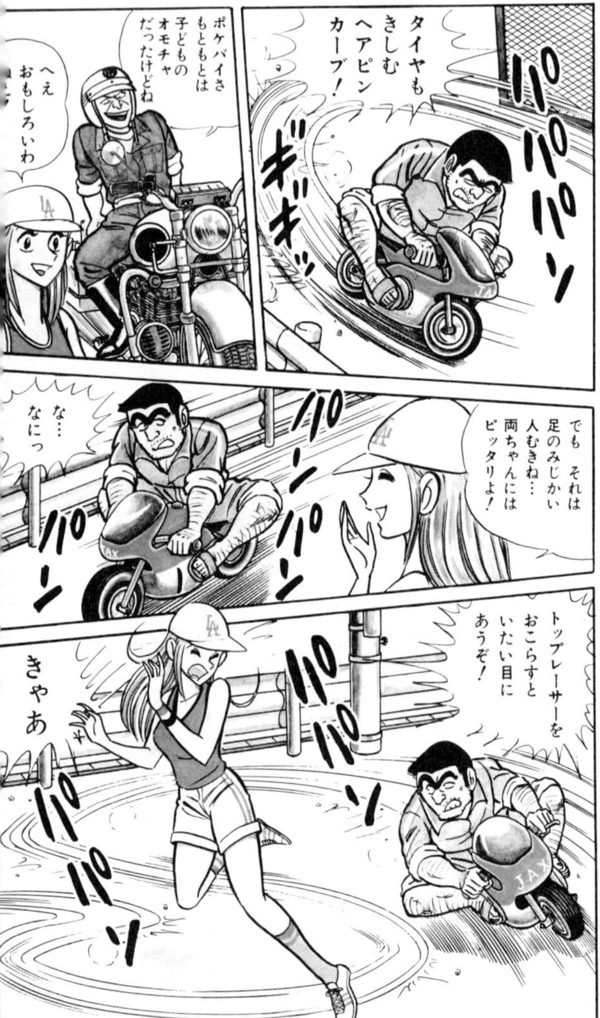

タイヤも
きしむ
ヘアピン
カーブ!
パパパパン
ギギギッ
ポケバイさ
もともとは
子どもの
オモチャ
だったけどね
へえ
おもしろいわ
でも それは
足のみじかい
人むきね…
両ちゃんには
ピッタリよ!
パパーン
な…
なにっ
パパーン
トップレーサーを
おこらすと
いたい目に
あうぞ!
パパパーン
きゃあ
パパパーン

ハイテクニック
恐怖の股くぐり!
きゃっ
パパーン
パパン
もうこらっ
おっとっとこっちこっち!
パン
パパン
こらまちなさい!
オニさんこちらホイホイ!
絶対つかまえてやるわよ!
パパパーン
チョウのように舞い!ハチのようにさす!ポケバイだっ
パパパパーン
わははははそう簡単につかまるか!
パパーン

えいっ
パカッ
パパン
ごめんなさい ゆるして ください!
まいった まいった
パルパル
バババン
いてて あいつは みさかいが なくなるから おそろしいよ
派出所勤務じゃ なくて よかったぜ
グオオオ
あら!
あの タクシー 乗車拒否 したわよ
なんだと!!

いかんなあ
ひとこと
いってやるか!
ドドドド
よし
さっそく
おいかけるぜ!
ギギギッ
じゃないよ
いちいち
近くの客を
のっけて
いられるか
うるせえな
のせないと
いったら
のせな……
あっ
いけね!
へへへ
今すぐ
あけますから
個人
外車タクシー
34
バタン

な…なんだ!?
この車はずいぶんせまいなえ〜〜!
あっ
ちょっとお巡りさん!
おまえさっき乗車拒否したな!
てめえっうそつくなよっおい!
車の中でエンジンふかさないでくださいよ
とんでもないですよわたしは親切運転手でとおってます

松山《まつやま》千《ち》夏《なつ》だ!!
えっ?
うわっ
こらっ
とめろ!
わっ
個人

くそっ にげられたぞ!
本田! おうんだ こいっ
ぼ…ぼく 走るの にがて なんですよ
へへ ざまあ みろっ
あっ あっ
バイクのエンジンがかかりっぱなしじゃないか!
ごほん ごほん!

たまらん 運転するどころじゃない！
バタッ
車をすててにげよう
車からでたぞっ チャンスだ
こら 本田 しっかりしろ！
もうだめです すっかり足が退化して！
オーバーヒートです ここでまってますから お先に！
ちぇっ だらしねえなあ まったく！
まてっ このやろう！
麗子はだいじょうぶだろうな おい！
元気よ さあ早く！
てめえ ちくしょう
まてーっ

こ…こら ま… またん…か
ぜい ぜい
ぜい ぜい
どう したのよ だんだん おそく なってる じゃない
こっちは さ…さけび ながら…… 走ってんだぞ ぜいぜい
ぜい ぜい
バカね それなら 無理して さけぶこと ないでしょう
だまって… 走ってたんじゃ まるで…… マラソンだろ… だからだな… 無理をして… 声を…… ぜいぜい
はぁ はぁ
それに しても あの人も がんばるわ ねえ!
ひゃあ まだ しつこく おってくるぞ
駅伝で ならした このオレに ここまで
麗子! あとは… たのむぞ… おまえ だけが たよりだ…ぜい
ぜい
はい!
ひゃあ もう… だめ!
はっ
はっ
ヨロ…
はっ
はっ

★週刊少年ジャンプ1979年27号

笑って喜ばれる
ギャグづくり
それが両津《りょうつ》組《ぐみ》の
モットーよォ!
の巻
キュイン
キュイイン
ユンカース
急降下
爆撃!
ヒュル
ルルル……

ああ!マイホーム
どっかあん!!
公園前派出所
キキキ ぶじ 帰還!
ズザッ

あれ?
これなど駅も 近いし商店街もすぐ近くにある!環境は いいぞ
なに話しているんだ?あのふたり…
どうも部長おはようございます
南むきで間どりも悪くないなここがキッチンだ
なるほど玄関も広くていいですね
くそ!わしを無視しやがって……
なにみてるんですか?部長!
おまえには関係ないことだ!いいからむこうへいってろ

教えてくれたっていいでしょ
おまえがいると話が よけい複雑になってくる
それはひどい! 部長といえば親も同様
うるさい男だ家だよ家!
家…? 家をどうするんですか?
寺井《てらい》が今度 家を買うので いろいろ相談相手になっているところだ…
ほう… 寺井が家をね…
ようやくメドがついてね…
家というとひょっとして高いものじゃないのか?
そうだね安くはないよ
寺井金もっているのか? ローンを苦に一家心中なんてことにならんだろうな
だいじょうぶだよ 銀行から借りたり共済組合から借りたりして…
なるほど もしたりなかったらわしにいってくれ2～3万円くらいならなんとかしよう!
そ そうかありがとう

部長 東京《とうきょう》は 私の庭みたいな もんです 家さがしに 東京案内 しましょう
とても 都内には すめんよ
土地代 だけでも 家の2軒も たつほど だからな
なんと そいつは 高い!
寺井 いいか マイホームは まず 業者選びだ 確実なところ 選ばんと あとで とんでもない ことになる
役所に いって 登録台帳を 必ずチェック しろよ! 登記所でも よく調査 するんだぞ
マイホーム族が また ひとり ふえたか… 部長の いいくるめ方は 天下一品 だからな ひとり者の わしは 自由に 人生を エンジョイ
おい 寺井 こりゃ
みろよ! 1590円だってよ 信じられない 値段だぞ ここ 買え 二千円で おつりが くるぞ!
買え!!
両津…… この字が みえんのか "万"とかいて あるだろ
ほう!? そういえば 小さく みえますね

1590円でなくて 1590万円…ってことになるんですか!?
世間はそういうよび方をしているようだな
一千万円というとひょっとして百万円が10コですね するとそれが15コとちょっと…
そうだ だんだんおまえもかしこくなってきたじゃないか
このくらいかな 両てのひらにかかえられるくらいで家が買えるわけか……
1590万円という値段が現実ばなれしているようで実感がつかめていないようですね
1590万円かぁ どうりで安すぎると思ったよ 家賃より安いんだもんなあ
これは本当に安い 申し込み金5万円で即 登記だって!
まったくさわがしい男だ!
申しこめるのかあ わしもひとつ買おうかな………
どれみせてみろ…
ははあ この手の広告は敬遠したほうが いいな 話が うまくできすぎている 買いいそぎでこういうのにひっかかるのが多い
部長はうたぐりぶかすぎますよ!

駅のそばで 公共下水道完備 高級住宅街… それを この値段で 買えるはずが ない！
現に 売ってるじゃ ないですか！ "お買い得物件" という字が よめないの ですか！
三角地かも しれんぞ 北向きで 土地も軟弱かも しれんじゃ ないか！
三角でも 四角でも 家が たてば
わしも 家を買う時 いろんな業者を みてまわったが この○×建設《けんせつ》 というのは 全然しらん 信用できん
だから 大穴なんです きっと いい 業者ですよ
いいか 両津 ここに 人をよく だますキツネの コン吉《きち》と 人のよい みんなに すかれている クマのプーさんが いるとするだろ
はい はい キツネのコン吉《きち》と クマの プーさんが
両さんには もっと わかりやすく 簡単に 説明したほうが いいですよ
うむ そういえば そうだな
そこへ おまえが おなかを すかして 森の中で 迷ってしまう
そこへ この2匹が ひょっこり たべ物を もって あらわれた
プーさんは 親切に自分で つくった おかゆを少し もってきて くれました
ふむ ふむ…
意地の悪い コン吉《きち》は 量は あるけど わけのわからない 肉などを たくさん

そこで両ちゃんならどっちをたべるかね？
わたしならよろこんで両方ともたべます
ためた あいつには世間の常識が通用しない かけはなれている……
これは安い ぜったい買う
なかなかガンコですからね 両さんも…
とにかく今度の日曜日現地見学にいってみよう
えっ見学にいくんですか!?
そりゃあちょうどいい 私もつれてってくださいよ
私も将来立派な家なんぞたてるためぜひみておきたい
本人もああいっているんですからつれていってあげましょう部長
寺井がよければいいが……あいつがいくとろくなことにならんぞ

ここが
高級分譲住宅
"青空のかなた"
です！
キイッ
ずいぶん
遠かったなあ
かなり
いなか
ですね…
バタッ
それだけ
自然が
多いんです
ね………
"青空のかなた"
というよりも
"最果ての
かなた"
といったほうが
いいんじゃ
ねえのか…
うまい！
ご主人
ジョークが
じつに
おじょうず
最高！

南はどっちかね？
ピン
むこうです！むろん南むきですバッチリ
寺井！もっとよくみろよ！おまえが買うんだぞ
クル
わわかっているよ
みてくださいこの入り口高級感あふれてお客様もびっくり！
なんだこのクサリは……
あっ
ブチ
おい！これこわれちまったぞ
いいえそれはとりはずせるようになっておりましてですね掃除がラクでしょう
ちゃんとこうしてすぐ……元どおりに……
元どおりに……

そう！時間がないので中を　先にみましょう
ほう　玄関にはなかなかいい木を使ってるな
そうでしょう　うちの会社は一流品でないと使いませんからね
みてください　これが　わが社自慢のDK《ダイニングキッチン》です　すばらしいでしょう
わりと広いね…

みてください ほかじゃ こんなりっぱなDK《ダイニングキッチン》はつくっていません うちだけです
部長 DK《ダイニングキッチン》はどんなもんでしょう？
うむ 使いやすくまとまってる 70点だな
おい フロはちゃんとあるのか？
そりゃもちろん！こちらです
こちらが浴場になっております
ちゃんとお湯まででるじゃないか！
ザ
もちろん当社だけですよ！
すぐにはいれますよ はいりますか なーんていったりして はっははは
よし はいるぞ

えーっ本気ではいる気ですか!?
そうだよおまえ 今はいってはいいっていったろ!
さあみんな!でろっはいるんだからな!
ほほんのじょうだんでして…あの…
ザーザー
たびゆけばァ〜
ははは…なかなかかわったご主人で…
2階もみせてもらおうか
どうぞどうぞ
いい和室だ……
うちの和室は最高ですみなさんそういいます!

木が 少し チャチだな
いやあ そこは 人が そんなに みませんよ
壁が あまり よくないんじゃないか
いや! それが 最高だという 人も いるんですよ
おーい フロ場の お湯が とまらなく なっちまったぞ!
あ…あっ!
早くしろっ 外まで お湯が あふれているぞ
まったく もう モデルハウスの フロに はいるからだよ!
ここのフロは せまくて 大変だぞ まったく!
よく きいとけ あいつは 身をもって 感じてる

ここは洋間で8畳です
南はどっちだっけ?
ガラガラ…
はいそちらです
さっきはむこうだっていったろう
サッ
そ　そうでしたねこっちですはい！こっち
そうするとこの部屋は全然　日がささないんじゃねえか
いや！それが最高だという人もいるんですよ
悪くは　ないんだけどまだ　ほかにもみてみたいしどうしましょうか部長……！
少しでものり気でない時はことわったほうがいい　衝動買いは
あとで解約してもかまいませんから申しこみ金として千円でもおいてってくださいねっ　ご主人
ちょちょっとまってください！

いわずにスパッとことわれ
口約束だけでも契約は成立するんだからな業者のペースにのせられちゃいかん
しかしせっかく案内してくれた相手に悪いし…
こういう時のためにあいつがいる!
両津ちょっとこい!
へい!
ずんずんずん
あっどうもご主人契約ですかここに署名を!
ここはだめだ次案内しな!
は…はい!
本当だいいきり方がすごい…
一生に一度の買い物だからなあのようにポリシーをもつことが大切だ
気にくわんなあダサイよ
ここもダメ!もっといいとこ案内しろ
まるで自分が買うみたいだ………

土地付住宅展示中!!
ブロロロロッ
ふう つかれた これで なん軒目 だ…?
35軒目 ですよ ご主人!
こうなると 家なんて みんな 同じような もんだな…
もう めんどうに なってきた…
この家など デザインが かわって まして…
いい 最高! この家に きめたっ
なっ 寺井 このあたりで 手をうとう この家 すごく いいぞ
そうかなあ 奇抜すぎるん じゃないかな?
ここに きめよう おい! 契約するぞ 早く書類を もってこい!
はい ただ今
柱だって たより なさそうな 気が するし…
そんな ことないっ 気のせいだ しっかり してるぞ!

わしの力で
おしても
ビクとも
せんじゃ
ないか…
ガグッ
上の
ほうが
ギシギシ
いってるよ
うわっ
バキ
あっ
ダッ
ガガガガガ
バキ
バキ
メキ
ガシャ
ひどい建物だ
手ぬきも
手ぬき！
全部 ベニヤ板に
仕あげをした
だけじゃないか
映画のセット
なみだ……
おい こらっ
きさまーっ
インチキ
不動産屋
だな！
いえ
すぐ こわれ
やすいのが
最高だという
お客様も
いるんです ハイ
お客様の
このみです！

★週刊少年ジャンプ1979年41号

祭り気分！の巻

ソイヤ
ソイヤ
ソイヤ
ソイヤ
ソイヤ
ソイヤ
BMW《ベーエムベー》—R《アール》39
1925年型
最高速度 100km《キロメートル》/h
最大出力 6.5ps《ピーエス》/4000rpm《アールピーエム》
排気量 250cc《シーシー》
エンジン M《エム》40型シングル
ソイヤ
ソイヤ
ソイヤ

小林質店
TEL-
おーい
酒が
たりねえぞ
もっと
はこんで
こい！
デン
テン
テン
テン
亀有祭
仲町会
青年部
6月13日
亀有本祭り

そこらへん しっかり しばれよ! うちのかつぎ屋は ハデに やるからな!
ドーーン
ドドーン
亀有三丁目町会
50年度
亀有仲町会
亀有青年部会

だいぶ準備がととのってきたようじゃないか!
いよっ両さん! また 夏祭りの季節がやってきたぜ!
今日の天気も最高だしな ハデに 町へくりだすぞ はははは
両さんももちろんかつぐんだろ
それがな 今日は警備にまわされちまったんだよ
なんでえ! 両さんらしくねえなあ 仕事なんかあとにしろよ
毎年 それで勤務 さぼってきたからな 今回 やったらクビだよ
え? 両さんかつがねえのか そりゃないぜ
そうだよ やろうぜ
そういうが うちの部長は……
おい 両津 なにしてるんだ 早く警備につかんか!
キィ
みろ… 部長が きたぞ… ゲシュタポ顔負けなんだからな!

これは 部長 今 いこうかと 思ってたところ でして……
早く せんか! 今日は いそがしいん だぞ!
本当に 無理みたいだぜ あれじゃ まるで 鵜飼《うかい》の 鵜《う》だよな…
まったくだな
すし
ブロロロ
いいか おまえは 中川たちと 四丁目町会の ほうを 警備するん だぞ
わかって ますよ!
それにしても にぎやか ですね このあたりは 下町だから 祭りずきが 多いですね
日ごろは 車が いばってる 道路だが この日ばかりは みこしの天下 だからな
両津も 祭りが すきそうだ な…
いえ それほど でも……

浅草《あさくさ》の三社祭《さんじゃまつ》りの時無断欠勤したそうだな
はあ あれはカゼひいたものでちょっと……
たしか先日下谷神社祭《したやじんじゃさい》の時にも3日間休んだな
あの時はしんせきのオバさんがなくなって葬式に……
神田明神祭《かんだみょうじんさい》の時にも たしか伯母の葬式だときいたぞ
そ そうでしたか…おじさんですしんせきの伯父の葬式に…
そいつは変だな その おじさんからお中元が わしに届いてたぞ
それは父方のほうでして…死んだのは母方の
それにしても毎年 夏近くになるとおまえのしんせきは よくなくなるな
きっと暑さにたえられなくてバタバタといくんですよ
うちの家系じゃなんでしょうねひとり なくなるとクセになるらしいんですよ
どうもおまえのいうことは信じがたいな…
キイ

いいか まじめに 警備しろよ あとで みに くるからな
はい わかって ますよ!
中川 いいか 両津を しっかり みはっていろよ! うっかり 目をはなすと にげるからな!
いっしょに なって みこしを かついでる姿を みたら その場で 懲戒免職《ちょうかいめんしょく》だぞ
はい はい はい はい はい
ブロロロ
亀有
まつり

まったく！部長も年だよ 年ねん 口うるさくなってくる ちくしょう！
おい 中川 酒もってこいよ 酒！
え？ のむんですか
祭りに酒が なくてどうすんだよ 早くもってこい！
はい！
こうなりゃ このタダ酒を のみまくってやる！ くそ！
トク トク
ソイヤ ソイヤ
ワッセ
一番みこしが きた きた！
ワッセ
道をあけろ！ 道をあけろ！

おっ 両さん! なんでかつがねえんだ!
うるさい! 人には事情ってもんがあるんだ!
早く どこかに いっちまえ へっぴり腰の みこしなんか みてると 酒が まずく ならあ!
おおっ
いってくれるな もう!
お巡りさーん お巡りさんが 酒のんで ますよ!
勤務中に 酒のんで ますよ!
いわせて おけば この……
さっさと いかんか! きさまら!
うわっ!
うわあーっ!

ハラのたつ連中だ まったく くそ！
中川 毛布かせっ 頭にきたから もう ねるっ
ゴロッ
ふて寝しちゃったよ まいったな！
両ちゃんみたいに生まれついての下町っ子に祭りにでちゃだめっていうほうが
両ちゃんは祭りや あそびを生きがいにして生きているとこあるわよ！ それを……
そうだな ちょっとだけいかせてあげよう
あっ すでににげたあとだ！
先輩！ おきてください いい話がありますよ 先輩！
先輩！
かれに心配など無用のようね……

ドォン
ドォン
おでん
ラムネ
へっ じょうだん じゃねえよ！ 祭りの日に じっとしてたんじゃ 病気に なっちまうぜ！
セイヤ
セイヤ
おっ けっこう やってるな！ 祭りは こうで なくちゃいけねえ
あんず
なんて かつぎ方 してんだ！ みちゃ おられんぞ
みんな どけ どけ！
おっ 両さんだ！
祭りの 両さんだ

おまえ ちょっと ハンテン かせ！
グイ
また 部長に みつかると うるせえ からな
これで よし！
キュッ
だいたい てめえたちは 棒に しがみついてる だけじゃ ねえか！
ちゃんと こうして かついで ますよ！
ちぇっ どこで かついでんだ！ みんな バラバラじゃ ねえか！
いっしょ けんめい やってますよ
おまえが 先棒《ハナぼう》など 50年早い どけ どけっ
ああっ
よく みとけ みこしってのは 肩で かつぐん じゃねえぞ！ 腰で かつぐんだ
一度 棒を にぎったら 死んでも はなすなよ いいか！

いくぞ　そいや!
うわあ──っ
グイッ
うわっ
どうした　しっかり　ついて　こい!
そいや!
グバ
うわっ!
わわわっ
そいや　どっこい!
ユサ
そりゃ　どう　した!
すごい!　いっきに　祭りが　もりあがり　ましたな!!
ユサ
ユサ
そりゃあ
連帯感と　いうより…　ひとりで　かついでいると　いったほうが　いいですな…

そいや!
そいや!
うわっ
うわっ
こらっ
両さん!
うちの
垣根
こわして!
祭りの日は
多少の
被害は
おこる
時は
おこるよ
もう!
いてっ
あっ
やばい
部長だ
!!
おい あの
みこしの先棒《さきぼう》
かついでた男
両津に にて
いなかったか?
セイヤ
セイヤ
え…
さあ?
みんな
U《ユー》ターン
するぞ!
そりゃあ
え?

わしの目にまちがいない！ちょっといってみよう
ガタッ
はい！
まずい！こっちへくる気だぞ
おい！その路地へはいるぞ！
え!?
こんなとこコースにはいってましたっけ!?
いいからそいや！そいや！
そいやそいや！
そいや！
ギュ
ギュ
バキ
ガガ
そいや
ちょっとあんたたちこんなせまいとこまではいってくることないでしょ!!
ギュッ
こっちだってすきできてるわけじゃない！

みこしがあんなにせまいとこにはいっていきましたよ
ますますあやしい!よし先まわりしろ!
プワッやっとでられた!
ギュ
ギュッ
まるでラッシュアワーだよ
ヴロロロ
あっ先をこされた
おいみんな走れ!全力疾走だ
えっ!?
それいそげ!走れ!
ダダダッ
みこしをかついで走ったのははじめてだよ
あっ走りだしましたよ
完全にまちがいない両津はあの中にいる
にがすものか!!
カチッ

プァン
プァン
プァン
プァ
ギャーッ
うわっ
両津
でてこいっ
そこに
いるのは
わかって
いるぞ！
バタ
くそ！
みつかったら
クビだよ
う〜む
おっ
天のたすけ
別の町会の
みこしが
きた！
ワッセ
ワッセ
ワッセ

ケンカみこしだわっしょい
うわっ
あっ
おうケンカうってきたぞ!
かえかえ!
ケンカは下町の華だやっちまえ!
うおおっ!
まけるかわっしょい!
やっちまえわっしょい
部長!にげてください!
ケンカだわっしょい
とことんやれ!わっしょい

★週刊少年ジャンプ1979年28号

ローラー大作戦！の巻

☆きみも、両さんの着せかえ人形を作って遊ぼう。
コピーをとって、コピーの方で遊ぼうね！

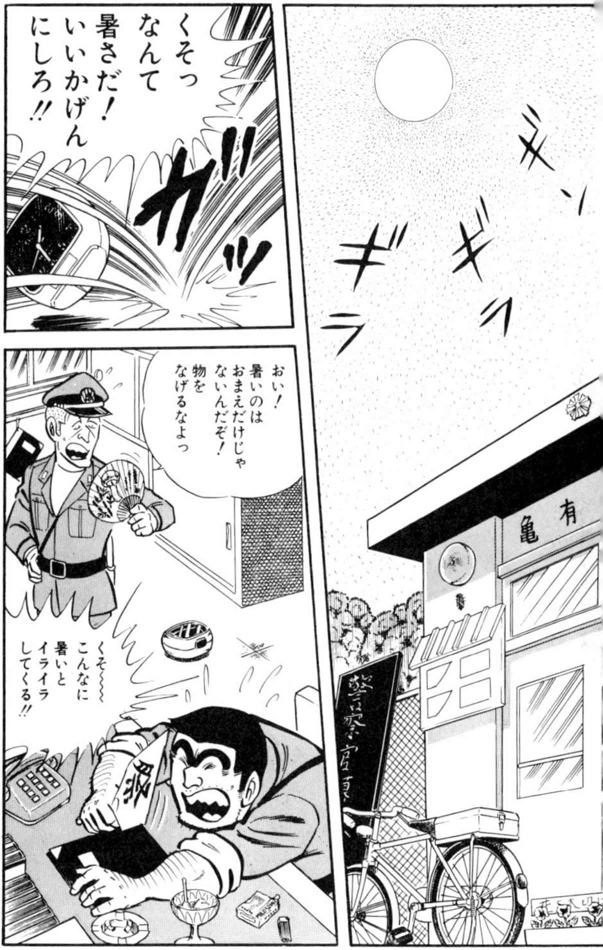
ギラ
ギラ
ギン
亀有
くそっ
なんて
暑さだ！
いいかげん
にしろ!!
ガッ
おい！
暑いのは
おまえだけじゃ
ないんだぞ！
物を
なげるなよっ
くそ～～
こんなに
暑いと
イライラ
してくる!!

寺井
もっと　はなれろ
暑くるしいな
むこうのスミに
いけ！
うわあ
今日は
35度も
ありますよ
なん
だと！
じょうだん
じゃないよ
まったく！
早く夏服に
すりゃいいんだ
こっちとらァ
外勤なんだぞ
まだ
暑いな！
中川
ビールは
まだ　ひえて
ないか？
さっき
また
いれたばかり
ですからね
まったく
暑い！
オレも服を
ぬごう！
グ
そうだ
そうだ
みんなも
ぬげ！
多少は
ちがうぞ

もっと奥へいってろ
あまり 人前にでるんじゃない！
ジロ
ジロ
まあ！みんななによォ そのかっこうは！
"なによ"もないもんだ！ぼろクーラーがまた こわれやがったんだよ
だからって裸になることないでしょう
ぼろクーラーなんとかしろよ！毎年 夏になると必ず 動かなくなるんだぞ！
祭

冬　クーラーが動いたってなんの役にもたちゃしないんだからな！部長にいっといてくれよ！
中川！ビールはまだひえんのか！
まだですよまだ！
せめてユカタくらいきなさいよみっともないわよ！
バサ
おまえはそんなのきていて暑くないのかよ？
気持ちの問題よ！しゃんとしてれば平気よ！
ちぇっ
ようするに女は鈍感ってこったな…
クァァン
感情のほうは鈍感じゃないようですね
いててあいつは地獄耳だちくしょう

麗子さん なんだい それは
ローラースケートよ 今日は お天気が いいから もってきたの!
SST スポーツ
こらっ 仕事場に そんなもの もってきて いいと思ってるのか!
両ちゃんだって 仕事場に 炊事道具一式 もちこんできて ここで 生活を してるじゃない
ああいえば こういう…… まったく 口のへらない 女だ! あいつにゃ 負けるよ
だいたい 麗子 すべれるの かよ?
もちろんよ!
そりゃ クツに 車が くっついているのか? 最近のは かわってるな
このほうが しっかり とめてあるから 使いやすいのよ

わしらのガキの時分はゲタに滑車をつけてやったもんだ
ゲタで？本当に!?
そうよ！それとなこのくらいの板きれをみつけてきて両はじに滑車をつけて坂道をすべるんだよ
今でいうとスケートボードの元祖みたいな
当時 金物屋で滑車が 1こ10円だったからな…4ヵ所に つけるから 4つで40円！
40円で一日 それであそべるんだからなあ安いもんだ
ふーん
先輩はそのころからなんでもつくっちゃう人なんですね
まあな！あそぶことにかけては大天才だったからな
たしか8年前に買った わしのローラースケートがあるはずだぞ
あそびの話となると暑さもわすれちまうんだからな単純な男だ！
まったくだな…！
さあ用意ができたわよ！
カチャ

そーれ
調子も
いいわーっ
やあ
さすが
上手だな
シャーッ
小さいころ
ローラーゲームに
あこがれて
東京ボンバーズに
はいろうと思って
いたくらいよ!
なつかしいな!
今の読者には
わからない
だろうな
シャアーッ
消火器

そんなのをみて 上手だといってるようじゃまだ まだ!
先輩も本当にローラースケートもってたんですか?
わしはうそをつかんだろ
ちょっとさびてはいるがまだまだ十分《じゅうぶん》使える
えらい年代物ですね……
無理しないでくださいよ頭でも打ったら大変ですよ
バカいうな! まあみていろ
昔はローラー小僧の両ちゃんといわれたもんだ
ガチャ
ガチャ
そりゃあーっ!!

麗子 外へいくぞ!
ザァアァ
え!?
ダッ
あっ
風を切る猛スピードだ!
ザァァーーッ
きゃあ——っ
ガードレールにぶつかるわよーっ
ザァァッ
そらっジャンプ!

いやっほう!
ひゃあーっ
ギギギギ
ガァー

よい…
しょっ
…と! 着地大成功! きまった へっへっへ
あぶない わね! 道路へとびだしちゃ だめじゃ ない!
ダッ
すごい ですね 先輩!
ははは 町内ローラー スケート大会で 1位になった こともあるから
動いたら ますます 暑くなって きたよ ふーっ
ペコ
もう やめた! 暑くなる ばかりで なんの得にも なりゃせん!
あーっ ベルトが きつくしまって しまった! とれんぞ!!
カチャ カチャ
え!?

ぼくが とって
あげますよ
世話が
やけるなあ
手荒く
あつかうなよ
あと10年は
使うつもりだ
からな!
花を大セ
いてて バカ!
そんなこと
したら
ますます
しまるぞ!
バックルは
さびてるし
だめだ
こりゃ!
おい!
どうすんだよ
このままの姿で
仕事しろと
いうのか!?
ベルトを
切るしか
ないようね
切れば!!
花を大切に
かるくいうな
苦労して
買った品
なんだぞ
コテン
ガツン
いてえっ
まともに
頭打った
ぞ!
あまり
動かない
ほうが
いいですよ
おっ
ピーピー

この先で
接触事故が
おきたらしい
すぐきて
くれとさ!
そうか
よし!
ローラーを
はいたまま
いくんです
か?
そうだ
なにか
問題でも
あるのか?
わたしも
ついて
いこうっと!
ザザ!!
ザッ
あそびと
仕事を
ごちゃまぜに
してるよう
だ……
事故
ガヤ
ガヤ
ガヤ
ガヤ
事故 処理中

部長
あれは…？
え？
あっ
ザー
いくぜ
せえのっ
ザァ
アァ
ジャンプ
ピョン
うわっ
やった
10点満点
コマネチ
まっ青《さお》！
な
なんだっ
きみは!?
ぱ

見物人はむこうにいってて！
だれが見物人だちゃんとした警官だよ！
どうしたの両ちゃん！
麗子この連中にわしが警官だって説明してくれよ！
暑いところわざわざきてやったのに頭にくるなあまったく！
いったい事故の原因はなんなんだよ！
しらねえよ！車がかってにこけたんだよ！
こいつがムチャな運転するからだ
さわぐな！ますます暑くなる！
むこうはああいっているぞ！
しらねえよォおれはなにもしてねえよ
おい！どうしたんだよなんだいったい！
有限
YU-GEN
このお巡りがうるせえんだよなにもしてねえのによォ

なにもしないで事故がおきるか原因はなんなんだ？
しらねえようるせえな
ようあいつがああいってんだから
おまえになんかにきいてねえあっちいけ！暑くるしい
ガチャッ
うわっ
わあっ
マッポがケリをいれやがったぞ！
あばれろ！あばれろ！

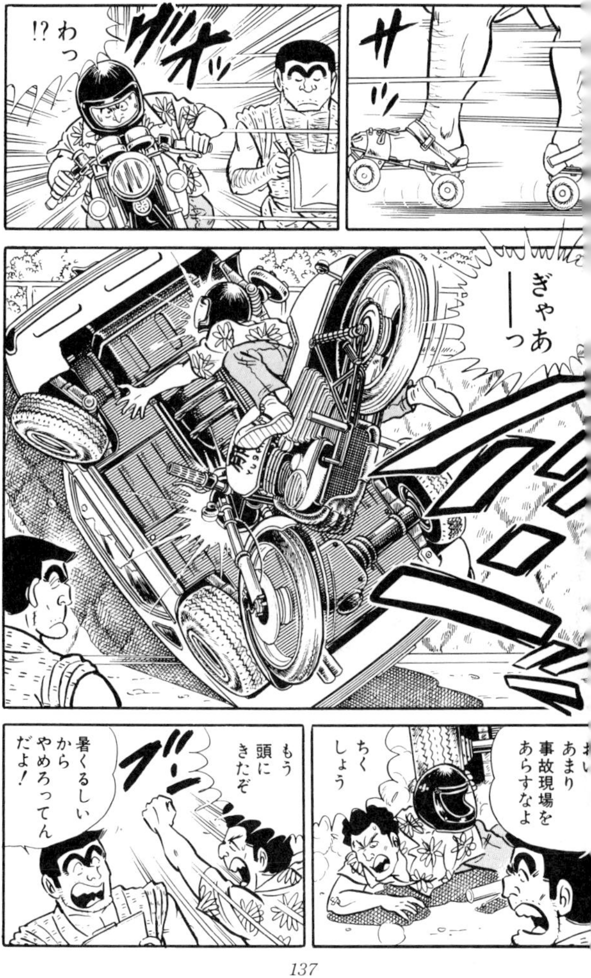
サッ
グオッ
わっ !?
ぎゃあーーっ
おい あまり事故現場をあらすなよ
ちくしょう
もう頭にきたぞ
ブン
暑くるしいからやめろってんだよ!

このーっ
あっ
バキッ
こわしやがって！よーし やるならやってやろう
おい！この車かりるぞ！
え!?
あ!?
な なんだ
うわっ 車でむかってきた！
にげろ にげろ!!

ドドッ
ガッ
ぎゃおっ
うわっ
ギャアアアア
プアーン
プアーン
ガオッ
ファーン
プァーン
うわーっ

いてててっ 早く ここから だしてくれ!
運転も できないくせに 乗るからよ! ますます さわぎが 大きくなったじゃ ないの!
こりゃあ ひどい 事故だ
あっ やばい! 部長も きた!
三十六計 この場は にげるが 勝ちだ!
あっ 両津!
やはり あいつが 原因だな
うぬっ すばしこい やつめ!

スケートを
かしてくれ！
両津を
つかまえる！
部長さん
すべれる
の…!?
両津に
すべれるなら
わしに
できんことは
ない！
くつが
小さいけど
だいじょうぶ
!?
ふう！
びっくりした
まさか
部長まで
くるとは思って
いなかったよ
まったく
マメに
チョロチョロ
していると
いうか……
ん!?
うわっ
ここまで
おってきた
!!
こういう
時だけ
動きが機敏に
なるな！

までーっ
とまらんと
その場で
射殺するぞ
じょうだん
じゃないよ!
そう簡単に
うたれてたまるか
やばい!
前は
急坂だ!
部長!
タンマ
ストップ
ストップ
なに
いうか!
ザッ
うわっ!
下は坂だ
なに
!?
うわ
ーっ
ひゃあ

★週刊少年ジャンプ1979年30号

ピ!!
ピ!!
おう 小林《こばやし》か! おれだよ おれ! 両津だ
来週の 日曜日に クラス会 やるからな
場所は浅草の “大黒家《だいこくや》”だ 2時から はてしなく やる……
これで 23人目だ あと 3人か……
チーン…
大正小学校
卒業名簿

クラス会の巻

会費は ひとり 一万円より
なにっ 高い!?
おまえなんか 一流企業に つとめてんだから 倍でも いいんだぞ この!
そう そう すなおに 納得すりゃ いいんだ!
手ぶらで くるなよ いいか ウイスキーの 2~3本も もってくる もんだ!
なにしろ おまえンとこは 一流企業 なんだからなっ 当然のむくいだ
金は キャッシュ 前金だぞ わかったな!
まったく… クラス会の 幹事なんて めんどくさい もんだな
あつまった 会費から なん パーセントか 報酬を もらわんと あわんなあ
ピッ
ピッ
両津だ! 来週 クラス会 やるからな 絶対 こい!
浅草"大黒家" 2時! 会費一万円以上 欠席でも 金だけは はらうんだぞ!

そうだ 金もって こいよ 金だよ 金! 金! わかったな
えーと 次は……と 九州《きゅうしゅう》の長崎《ながさき》かよ こりゃ 電話代も バカに ならんな まったく!
署の電話を 私用で使用して なーに している のかな 両ちゃんは?
ガタッ
こ…これは 部長 いらしてたん ですか!?
まあね
じ じつは クラス会の 幹事を たのまれ ましてね
ほう なるほど
ここへ きたら つい目の前に 電話という たいへん 便利な ものが ありましたので 少しょう おかりした 次第で……
今度からは 仕事が おわってから 外で かけろよ
はあ そりゃあ もう 十分《じゅうぶん》に!

まったく
口うるさいな
電話くらい
使ったって
いいじゃねえか
へるもんじゃ
あるまいし
なんの
あと　2件
意地でも
かけてやるぞ
これで
よし！
首を
かたむけ
てりゃ
十分《じゅうぶん》だ
本体は
箱づめにして
みつからぬ
ように
足元へ
おく
ピッ
そして
かける時に
足先で
ボタンを
おせばいい
ピッ
これが1で
右が2　3
その下が
4　5　6か
よし
バッチリ
ピッ
ピッ
市外局番
0958の
34……
26………
よし！
かかったぞ
………

おう
おれだよ
両津だよ
両津！
なに
いってるんだ
そんなこと
わかっとる
ぞ！
そ
そうでしたね
気になってた
もので……
ちがうよ！
こっちの話だ
えっ？
だから
両津だよ
浅草の両津
！
おまえは
自分自身の
名を よび
つづけないと
自分が確認
できんのか？
熱でも
あるのか？
い いえ
自分は
正常ですよ
心配には
わけあって
大声はだせん！
クラス会を
やるからよ！
そうだよ！
東京で やるんだ
バカッ
タダのはず
ねえだろ！ このっ
会費一万円
以上だ！
遠いから
これんだと！
あまいぞ
てめえっ
北海道《ほっかいどう》から
くるやつが
いるんだぞ
絶対
こいよ！
ボッ
ボン！
ボッ
どうも
最近
元気が ないと
思っていたら
やはり
体の具合が
悪くなっていた

飛行機でくりゃ ひとっとびじゃねえか! だいじょうぶだ 絶対くるんだぞ こないとわしの必殺メリケン…
両津……
メリケン両津が……
あ いや! な なんでしょうか!?
おまえ つかれてるんじゃないか?
とんでもない!!… ほらっ このとおり!
いや 無理するな このところ夜勤が多かったからな
一度警察病院で精密検査をしてもらったほうが……
あんなところ! けっこうですよ! いきたくない
おまえはこなけりゃいけないんだ 別の話だ 絶対こい!
いかなくていいですよ 私はだいじょうぶですから 本当に!
こりゃそうとう重症だ…
今すぐ入院したほうがいい さあ おとなしく
部長 心配ないって いかなくていいですよ!
バカッ おまえはしっかりとくるんだ

あっ
ゴテーン
はは… 電話がかってに体にはいりこんで
なるほど こういうしかけだったのか!?
そ そういうしかけ…
くそ… また始末書か… 今年になってもう26枚だよ!
このように身を犠牲にしてクラス会の幹事をやっとるのあの連中わかっとるのか!?
ようし 前日の夜中にひとりひとり電話して絶対に全員集合させるぞ この苦労を無にできんからな!

雷門
伝法院通り
大黒家
はい
クラス会受付はこちら！受付はこちらです！
下町小学校
6年2組同窓会
会場受付
いやあ両さんきたぞ！
うおっす
しばらくぶりだな
8年ぶりだよ
いやあなつかしい
ははは
まず会費が先！
会話はそれから！

ちぇっ ドライだなあ あいさつより 先に金のこと いうなんて！
わしは 酒がはいると すべて わすれて しまうからな シラフの時に もらうものだけ もらって おかんとな！
ほう 山止《やまどめ》も きているのか じつに なつかしい 名前だな
それに しても すごいな クラス全員が あつまってる じゃないか…
あたりまえだ わしが 幹事の時は 出席率 100パーセント だからな
あれ？ 先生は まだ きて ないのか
センセイ？ そんな名の やつ
なに いってんだ 先生だよ！ 担任の 柴田《しばた》先生 だよ！
そうだ いけねえ すっかり わすれてた
うわっ
ブオ
まだ 学校に 残ってるかも しれん！ ちょいと よびにいって くる！ 受付やってて くれ！
あい かわらず のん気 だな

大黒家
キキィ
ばかやろう もう少しで ひかれる とこだったぞ!
おっさん いいがかり つける気かい? おう!
だいたい せまい道に こんな でかい車が はいるなんて まちがっとる!
いたい目 みたくなけりゃ どいてろっ じゃまだ!
ド
じゃまなのは どっちだ! えらそうに!
ガ!!
ぎゃん

やりやがったな！タダじゃすまねえぜこのやろう
くるならこい！ヘイカモン
さっさと車をかたづけねえかせっかくクラス会にきたのにさわぎをおこすんじゃねえ！
なんだと!?
よさねえか！トヨミ
あっアニキ！
わけえもんは血の気が多いもんでどうも…おや？
おまえは金太《きんた》じゃねえのか？
おおっだれかと思ったら勘吉じゃねえかっ
やはり金太かあ！
いやあ生きていたかわははは久しぶりだぜ！
おまえきてくれたのか！しばらくぶりだなあ

いやあ よかったな! おまえのとこ 連絡とれな かったからな!
小学校で 退学に なったからな 無理も ねえよ
勘吉とは 幼稚園 小学校と 同じだからな! 小学校時代も よく停学くらって 自宅謹慎《きんしん》 したなあ
そう そう いっしょに 家ぬけだしてな
ふたりして 30円もって 吉原《よしわら》に いったんだよ ガキの ころから マセてたぜ はっはは
まったく 相手にして もらえなかっ たがな! いやあ はずかしいな
パ
つもる話も たくさんある まあ 中で ゆっくり 話そうぜ!
ちょっと まって くれ!
今日 ここで クラス会をやるって わけえしゅうに きいて きては みたけど いざ きてみると てれくさい な……
おまえも クラスに いたんだぞ てれること ないよ…
しかし すぐ 退学に なっちまったから 一学期たらずしか いなかったしな みんな おれのこと おぼえていねえよ
だいじょうぶ だって! おれが紹介して やるよ
それに…… こんな ナリ してるしよ カタギの 仕事じゃ ねえだろ…
おれが はいると ふんい気 こわれるん じゃねえか
…!?

男のくせにウダウダいってるんじゃない! さあはいったはいった
ガラガラ
そ… そうか
花屋敷通り
今日はたのしかったな あれでこそ幹事やったかいがあるってもんだ!
おれにはそうはみえなかったぞ みんなしらけたんじゃないのか?
やはりこないほうがよかった
バカ! 考えすぎだ だれもそんなこと思っているもんか!
ひがみすぎるぞおまえ!

酒が　まだ
たりないんだよ
おれの
しってる店で
二次会やると
しようや
そっちの
チンピラの
にいさんたち
いっしょに
くるかい?
チ
チン…
ピ……ラ…
三吉の店
ホッピー
ビヤー
200円
カッシャッ
かん
ぱーい
ははは
この店
気に
いったぞ
あたりめえだ
わしが
幼稚園の
ころから
かよっている
のみ屋だぞ
気に　いらん
はずがない
ははは
おやじさんが
よく　つれて
きたらしい
からね

ところで おまえ 今 仕事 なにやって るんだ
WC➡
シェイプ アップ産業 つうか… 一応 社長 やってる…
シェイプ アップ？ なんだ それ？
ガラッ
つまり 健康器具を うってるんだ フラフープとか ホッピングとか いろいろとな
トク
というのは 表むき ここだけの 話だが 近ごろ 警察が うるさくてな まいってるんだ
とくに 派出所の ポリ公が うるさくてな みつけたら ぶっとばして やりてえ 気分だ
トク トク
ははは そうか そうか
勘吉 なにやって んだ テキ屋か？ ヒモか？
ま 人に いうほどの もんでも ないよ…
三吉《さんきち》 キープボトル もう 一本 だしてくれ
あいよ
ガシャーン
なんだと このっ！
外が ずいぶん やかましいな

てめえら
よそ者の
くせに!
みんな
やっちまえ
こいつ
げっ!
BOKA!
てめーっ
あいつら
また
始めやがった!
江戸
ポカ ポカ ポカ ポカ
まったく
血の気が
多いな
てめえらも
仲間だな!
おっと
でなおして
こいっ
チンピラ
!
ぎゃあ
てめえら
この金バッジが
目に
はいらねえ
のか!
ほほう
おまえこそ
こういう
桜の金バッジ
が 目に
はいら
ねえか
げっ
桜田門《さくらだもん》

ポリ公がこわくて六区歩けるか！てめーっ
勘吉おまえまさか…うそだろ
これぱっかりはマジよ！
でやあーーっ
ガキのころのケンカを思いださせるな勘吉！
そうともハデにやれよ今日は警視庁《けいしちょう》公認だ！
そいつあありがてえどりゃあ

ちくしょう!
お母ちゃんにいいつけてやる
ぐすっ
おたがい同じ浅草でうまれ小学校まで一緒だったのに正反対の道をあゆんでしまったな…
どっちも因果な商売だ
おまえもそう思ってるだろ
………
また のみに
くるぜ
この浅草にな
!
じゃあな勘吉!
あばよ同級生!
ブロロロ

★週刊少年ジャンプ1979年42号

私設警察！の巻

HARLEY《ハーレー》-DAVIDSON《ダビッドソン》 FLH《エフエルエッチ》 80

クラシック エレクトラ グライド

世界最大の排気量 1340CC《シーシー》
重量330kg《キログラム》というマンモスバイク
クラッシックな仕あげの最高級モデル

みやげまで買ってきてもらってすまんなあ
ひさしぶりに故郷へ帰ったもののせわしなくてそんなものぐらいしか買えなくて…
麗子 包丁もってこいよさっそくくおうぜ！
北海道の名物がヨウカンとはしらなかったな
別に名物ってわけじゃないけど いそいでいたので……
北海道はカニとかシャケなどが名物でしょ
そうそう……
するとなにか？いそいでるとそのシャケやカニのみやげがヨウカンにかわるわけか…？
べ…別にそんなつもりないけど…あわてたもんで……
あわててると高価なシャケやカニなどをさけてヨウカンひとつ買ってくりゃすむわけか？
そんなことはないよ！
わしがシャケを好物だとしっててわざとヨウカンを買ってきたのか！
せ…先輩！

んなに からむこと ないでしょう 先輩!
あいつの 根性が 気に くわん!
これが 部長ので… これが 中川……
そして このうすい やつが わしの分…
おい 両津の分が やけに 多いんじゃ ないのか?
そんなこと ないですよ 目の錯覚じゃ ないですか!
中川 定規を もってこい
なにも そこまで やること ないでしょ
どうも おまえの 目じゃ 信用できん
やはり 自分の 分だけ しっかりと 大きめに きってある
それなら 部長が きりゃ いいでしょ
ちゃんと このように 5等分に 目もりを いれれば まちがい ないな…
そりゃ あたりまえ ですよ!

ほら
中川たち
たべなさい
はい
どうも
ヌッ
ほら！
両津の分
だ！
部長！
このやつ
両側が
えぐれちゃっ
てますよ！
ナイフを
いれる時
少しまがってな
まあ そんなに
気にするな
部長は
糖尿だから
小さいほうで
十分《じゅうぶん》ですよ
サッ
あっ
こら！
おまえこそ
甘い物を
たべすぎると
ミソッ歯に
なるぞ
かえせ！
ああっ！
サッ
おとなの
ミソッ歯なんて
あるはず
ないでしょうが
部長こそ
糖尿が……
うるさい
おまえは
そっちで
いいんだ！
いい年して
いじきたない
マネを
するな！
部長の
ほうが
いじきたない
じゃないす
か！
どっちも
どっちだわ
まったく！

ヨウカンの多い 少ないでケンカするなんてふたりとも子どもみたい
みちゃいられないよ!
でていけ!
おまえのようないやしい男をこの派出所においておくわけにいかん!
いいやがったなくそ!
それをいっちゃあおしまいだよ部長!
おしまいでけっこうださっさとでていけ!
ようしわかったよ!

やめた! やめた! 警官なんて 今日かぎりで やめてやる!!
両ちゃん
とめるなよ 麗子! けっして とめるんじゃねえ
こらっ とめるんじゃねえって いったろ!
いいえ 肩にゴミが ついていたから…
中川! こんな薄情な 部長をもって おたがい つらかったな
しかし 今からは もう おれたちは 自由だぞ さあ いこう!
ちょ ちょっと まってください なんで ぼくも いっしょに でていかなきゃ ならないんですか?

部長に
義理だてする
気持ちは
わかるが
無理するな
もう 自由に
していいんだ
ぞ!
無理して
ませんよ
かわいそうに
こんなに
おびえてしまって
本心を
いえないまで
性格を
ゆがめられて
しまったんだ…
まるで
鬼のような
部長だ!
今に おれたち
えらくなって
あいつを
みかえして
やろうなっ
なっ!
ユサ
ユサ
ビクッ
チラ
おまえも
そんなに
きたいのか! ついて
いこう!
みんなで
仲よく!
みんなして
競馬で
ひと山
あてて
派出所を
買いしめて
やろうな!
キャン
キャン
キャン

先輩 ぼく いそがしいんですよ！
もう自由だ！ いそがしくないぞ！
まったくバカなやつだ……
本当にでていっちゃったわよ！
ほうっておけ 2～3日もすればすぐもどって
もう めんどうみきれないわね
先輩 これからどうするんですか？
うーん そうだなあ…

墨田の職安にでも　いって相談してみよう!
本気で再就職する気ですか!?
あれだけのタンカをきってとびだしてきたんだぞおめおめともどれるか!
なんとかみかえしてやりたいと思わんのか!?
ぼくは別に思っていませんけど……
ガタ
ガタ
ガタ
ガタ
歌手にでもなって一日署長をして部長を　クビにしたらいい気分だろうな
まさか!
止まれ

しかし
ハラへったな
メシを
たべてから
でてくりゃ
よかった…
お金なら
ありますよ
たべに
いきましょう
か……
そうか
よし!
Coffee House
コーヒー ハウス
COFFEE HOUSE
うぬっ
ちくしょう~!
なに
くそ!
チュン
おっ
円盤が
でたぞ!
てめえ
よーし
くそ!
プアン
プアン
チュン
やった
——っ
ざまあ
みやがれ
ははは
先輩!
ボアン
チュン
なんだ
なにか
用か?
ぼくたち
家出の身
なんですよ
そんなこと
してて
いいんですか?
イチゴフラッペ 350
レモンフラッペ 350
シャーベット 400
アイスティー 350
アイスコーヒー 350
ピィ
チュン
チュン
チュン

だから こうして 気分転換して いいアイデアを だな……
あっ
ピイ
バカ みろ! 急に 声を かけるから 敵に やられて しまったじゃ ないか!
それどこ じゃ ない でしょう
ぼくは 先輩の まきぞえに されたんですよ なんとか してください よもう!
バン
わ わかった! なんとか しよう!
その前に もう100円 かしてくれよ たのむ 中川ちゃん
今度は おまえも やってみるか え…!?
なーに 簡単だ 子どもでも やってんだぞ
キャン
キャン
よし! そうだ いいぞ
いい スジを しとる!
チュン
チュン
そらっ 敵の円盤が でたぞ! うちおとせ
ピイ
ついて きたのが そもそも まちがい だった…
チュン
チュン

なんだ!? 600点かよ だらしねえな!
それで本気でやったのかよっ おい!
ピッ
1000点以下は犬なみだとよくいうが…
まあ…… おまえは犬そのものだからしかたねえけどな…
どうだ 今度は中川 やってみないか?
けっこうですよ!
どうして そう つっけんどんにことわるんだよ ひょっとしておまえ 犬以下じゃないのか
500点もいかないやつはネコなみだぞ 100点以下はアメーバだぞ……
一度もやってないから わかりませんよ!
なにっ インベーダー一度もやったことないだと!?
そうです
信じられん話だな…… 文明人とは思えん めずらしい
この犬でさえやってるというのに…… まさに天然記念物! 現代の生きる化石だ……
たかがゲームでそんな大げさにいわなくてもいいでしょう

ぼくたちの ことを 考えて くださいよ
わかった わかったよ！
そうだな この犬に 芸をしこんで 浅草で みせ物でも やるか……
さもなくば みんなで 新聞配達でも……
そうだ いい アイデアが うかんだぞ！
なんです？ やはり みせ物 ですか？
おれたちで 私設警察を つくるんだよ 本物より ものすごい やつをな!!
私設警察？ いったい どんなふうに やるんです？
個人で 警察署を 営業するのよ
中川 おまえ 金持ちだから スポンサーに なれ！ ハデにやろうぜ
パトカーなんかも ポルシェや ロールス・ロイスを 使ってな！ 制服なんかも 皮ジャンに 身をつつんで カッコよく するんだよ！
ふたりで やるんですか
警官なんて 募集すりゃ いいよ！ ひとり 一日 一万円くらい でな！

とにかく部長があっというような警察署をぶったてようぜ！
そんなもんいったいどこへつくる気ですか!?
まあまかせておけ細工はりゅうりゅう…
仕あげをごろうじろだ！へっへっへ
両ちゃんたちどこまでいったのかしらもどってこないわね
わしとしては永久にもどってこないほうがいいけどな
あら！
今この前を両ちゃんが通りすぎたわよ！
きっと気まずくて中にはいれんの
それが……なん人もの男の人をつれてきてるわよ
なんだと!?
いったいなにを始める気だあいつ……

ガガガガ
亀有公園
おい こら なにをする気だ 両津!
立入禁止
はて…? どこかでみたような顔が……
ふざけてる場合か! なにしてるんだ!
ごらんのとおり工事をしてるんですよ
なんで工事をしてるのかときいてるんだ!
パラッ
ごらんのようなビルをたてる予定になってますハイ……
出来上り予想図
なんだと!

あなたの派出所は ここ! みえますか? ビルが たつと 一日中 まっ暗に なるかも しれませんけどね!
われわれは ここに 個人経営の 警察を つくります いわば 警視庁の ライバル会社ね 名づけて R《りょうつ》&N《なかがわ》ポリス 企画カンパニー
わが署員を みせましょう みんな プロフェッショナル ばかりの エリートです
押忍《オス》!
よし!
右にM《エム》―16 左にパイソン 背にガス銃 胸にパイナップル 腰にダイナマイト 足にデリンジャー これ 通常装備
R&N
犯罪が ますます 凶悪になった今 これこそ ニューポリスの 姿です!
戦場へ いく気か おまえ!
それに かってに 派出所の まわりに ビルなど たてるんじゃ ない!
そう申されましても… こちらも 商売な もんでね…

商売で警察をやるんじゃない
だいたいおまえは…
いててくるしい
お おい署員！たすけろ
押忍《オス》
R&N
やめなさい うちの社長になんてことを！
R&N
グイ
柔道三段のわしにかなうと思ってるのか!!
ぎゃん
あっ
あら…
ズイ…
こんな武器なんかで人間が強くなるとでも思ってるのか！
うぬ！
こんなあそんでるヒマあったら柔道の技《わざ》でもおぼえろ！
なにをまけるもんか！

ヨウカンの罪をみとめるまでオレはたたかうぞォ！
まだいうか！執念深い男だな！
大変だ車をとられた!!
なんだっていつだ!?
たった今そこにとめておいたんだ赤のフィアット！
外車だったらここいらへんそう めったに走ってないぞ…
かなりめだちますからね
部長ちょっとタンマ！
ザッ
あっこらっ
中川おまえの車でいくぞ！早く!!
え？R《りょうつ》&N《なかがわ》カンパニーのパトカーでいかないんですか？
仕事が先だっこい！

こっちもまけてられないわ!
どいつもこいつも…
素行はムチャクチャだが……
カチッ
けっこうあれでたよりになる連中かもしれん…な

★週刊少年ジャンプ1979年29号

実戦セールス講座!?の巻
交通安全週間

これだけですと…トイレットペーパー5こですね!
ちぇっ!それっぽっちかケチんなよおい!
中川もうちょっとさがしてみろもっと新聞紙あるだろ
はい!
せいぜいこのくらいかな?
中川その新聞紙かしてみろ!
え?どうするんですか……
いやぁまだこんなにありました
ちょっと!こりゃ重いですねよっぽどがっちりとしばってあるんですねえ
なにしろ毎朝《まいちょう》新聞ですからね中身がズッシリとしてますよ

全部で トイレット ペーパー 10こですよ
そうそう そのくらいは ないとね…
ははは 倍に ふえたぞ
ブーー!!
どこに あんな いっぱい かくして あったんだ?
いや! たいした量じゃ なかったよ ただ 新聞紙の すき間に 砂をつめた だけのことだ
サギじゃ ないかっ それじゃあ
サギとは なんだ! "いじらしい 庶民の知恵" といえ!
わしは 奥で テレビを 鑑賞してくる あとは まかせたぞ
ちぇっ
消火器
まったく! こっちは 連休で つかれて いる身 だからな
パチ!
ライオン 奥様劇場
両津! 物売りの おばさんが きてるぞ ちょっと ことわって くれよ!
おくさん
なに?

いちいち わしに いうなよ ひとこと いえば すむことだろ
海で とれた カニを もって きたんだけど いかがな もんかに！
バアサン うちは いらんよ はい ごくろうさん
海で とれた カニは いかがな
戸塚《とつか》… 5～6匹 買ってやれっ おまえの 金で！
なんだよ 買うの かよ!?
あの手の 売り方は まるで オフクロに たのまれてる ようで つい 情に まけて しまうよ
両津 どうすんだよ このカニッ どうやって 料理するんだ!?
そんなもん しらんよ！ ことの なりゆき上 しょうがねえ だろう！
置き物として 机の上にでも かざっておきゃ いいじゃないか！
バカいうな！ 生ものだぞっ くさって しまうぞ！

おまえのせいだ！責任とれおい！
いたっ
このやろうたべ物をそんなに粗末にあつかっていいと思ってんのかっ
だれにいってんだよおまえだって同じだ！
こんなもん生でたべりゃいいだろうサシミにして！
極端《きょくたん》すぎるぞおまえは！
えーとカニ料理のページは…と
お料理
このっカニクイゴリラめ！
なにをてめえっ
てめえこのやろう
しつこいなあもうやめろよ

あっ ありました カニ料理の しかたが!
なにっ でてたか よし!
まず ジャガイモと パン粉を 用意して…
戸塚 ジャガイモ 買ってこい
くそ おれ ばっかり!
あれ… これは カニコロッケの つくり方だ!
カニコロッケ
バカ! コロッケなんか つくって どうすんだ よく読め!
パカッ
えーと カニ… カニは!?
カニサラダ… カニシュウマイ みんな カニの応用の 料理ばかり ですね……
麗子は まだ 神戸《こうべ》に いるから わしらだけじゃ どうすることも できんぞ!!
生以外なら 焼くか 煮るしか ないだろ?
よし! このまま ガスコンロで 焼いて みるか…
それじゃ まるで カニの 火あぶりじゃ ないですか
じゃあ どうすんだよ 煮るのかよ!

かまゆでかあ……
石川《いしかわ》五右衛門《ごえもん》みたいですね
かってにしろ! それじゃくえないじゃないか!
めんどうくせえ 甲らに ペンキで色をぬって小学生に売りつけようぜ怪獣の子どもだといって一匹100円で!
最終的にはいつも 金にいきつくな…
とにかくナベで煮てみましょう
そうだよせっかく金だして買ったんだからな!
本当にたべる気かそのカニ!
たべますよ!
おい……毒なんかはいってねえだろうなだいじょうぶか……?
フグじゃあるまいしそんなものはいってやしませんよ
両津はテレビでもみてろよ! いるとじゃまだ!
ちぇっくそ!
よく マメにやるよあの連中…まったく!

エビガニなら昔 よくつかまえてきてゆでて たべたけどな!
ヨコガニはたべたことなかったな!
そういやエビガニはとびはねるぐらいだがヨコガニはチョロチョロすばしっこいからなあ
バケツ一杯つかまえといたがひと晩で みんなにげちまったことが
しかし今 考えるとあれはオフクロがにがしたのかもしれんな……
オヤジは どうもあのカニをつくだ煮にして売ろうと考えていた感が あったからな……
カニにとっちゃ迷惑な話だ!
おや!?
いいにおいがするじゃねえかできたのか?
においをかぎつけてきやがった!まるでハイエナのような男だ!
おっまっ赤になってる!たべられそうなムードになってきたな!
おいダシはちゃんととったのか?
ダシ?とるんですか…?

あたりまえだろ
みそ汁だって
ダシをとるんだ
そんなことも
しらんのか?
さすがに
30数年間
独身を
やってるやつは
ちがうな!
ちゃんと
しょうゆを
いれて
味つけを
するもんだ
ジョー
そして
砂糖を
いっぱい
いれる!
これは
かくし味と
いうやつだ
よく
おぼえとけ
ガバッ
おい
みそを
もってこい
タナの上に
ある!
ずいぶん
いろいろ
いれますね
グツグツ
みろ
おいしそうだろ
このスープで
グツグツ煮れば
味が カニの甲らに
しみこんで
うまくなるわけだ
さすが
先輩!
手なれた
もんです!
味つけの
サシスセソだ
料理の原則
だろうが!
なんだ
そりゃ?
サが 砂糖
シが 塩
スが 酢
セが こじつけて
しょうゆ
ソが ミソ
これさえ
そろってれば
どんな物でも
たべられる

中川 メシをたいてくれ ついでだ 昼めしにしよう
えっ ごはんを?
だんだん本格的になってきたなあ……
両津がはいると ことが大げさになる
中川 ゆうべのあまったメシも いっしょにたいてくれ
生米とまぜていいんですか?
もう一度再生してたべるんだ 2回ぐらいだいじょうぶだ……
そんなものですかねえ……
おい なに つくっているんだよ 両津!
カニとジャガイモのケチャップあえ 卵くずし!
火の用心
ジョ ジョ～～!
おい おい! 奇妙な物かってにつくるな!
心配するな べつに たべられない物を いれてるわけじゃないんだから
火の

ずいぶんからそうな色ぐあいだな……
やはりおまえもそう思うか?
グッグッ
それじゃ砂糖をいっぱいいれてみよう
ガバガバ
あっ
そんなにいれていいのかよすごくあまくなるぞ
そうか…
それじゃ塩をいれてみよう!
ガバガバ
おいよせよ!
かってに砂糖や塩をいっぱい いれていいのかよ!?
料理はその時のムードでどんどん変化していくものだ!
なんだあこっちのほうもえらいさわぎだな
水が 少し多すぎたかな?おもちみたいになってしまった!
色どりがさびしくなったな今度はマヨネーズをいれよう
あんなのはもはやたべ物とはいえん!

米も いれすぎだ こんなに ふえちまってるぞ おまけに 上のほうは 生だぞ!
よく わからなくて…… とにかく 口元まで めいっぱい いれて……
ふたりとも よく 生きて 生活できているなあ 野性児や過保護の両極端の見本だ まったく!
戸塚 どうすんだ そのやつ…
すてるんだよ こんなの くえんだろう!
もったいないことするな! まったく!
ザッ
こういう時は ごはんに しょうゆを まんべんなく かけて……
そして かきまぜるんだよ! こうすりゃ 味つきの まぜごはんだ!
グチャ グチャ グチャ
あれ… だんだん ノリみたいに なってきたな!
カタクリ粉を いれて かためて みたら どうです 先輩
ネチャ ネチャ
火の用心
まるで 理科の実験だ もう つきあっちゃ おれんよ!

ちわっ
毎朝《まいちょう》新聞ですが!
いらんよ ほかの とっているからな
まあ そんなつれないこといわず!
半年 いや 3か月でいいすよ ねっ 3か月だけ!
いらんよ!
たのみますよ この近所は 全部 うちの新聞 とっているんすよ だから 3か月だけ ねっ!
いらんよ!
じゃあ 洗剤サービスしますよ! 使ってくださいよ! 3か月だけ
しつこい男だな!
どうした? 戸塚 大声だして……
消火器
新聞とってくれっていうんだよ

新聞か…いらんな とっているしな！
今どき一部なんて時代おくれですよ！ うちの新聞は最高ですよ おねがいしますよ 大将！
だれが大将だ!?
いや！ その…お巡りさんねっ
いやあ ぼくね！ 昔からお巡りさんにあこがれてたんすよ 子どものころっから！
みえすいた手だ 古いんだよ やめとけ！
じゃ洗剤 2こ いや！ 3こ サービスしますよ！ 使ってくださいよ！
スパーク
おい こないだの新聞屋…たしか洗濯機一台もってきたっけな
そう そう 全自動の最新型だ！
ははは この洗剤はほんの名刺がわりです
本当は別にあるんですよ
ヤクルト－巨人《きょじん》戦ネット裏5枚！ これが本命
バン

いい席だな 高そうだ
そりゃもう最高の席ですよ みにいってください！ ねっ だから3か月だけ！
こういうふうに新聞屋がいい場所だけ買いしめるからダフ屋がもうかるんだな！
まったくだ
巨人戦はみる気せん まだ相撲みてたほうがまし!!
相撲！ あります！ 夏場所一番前の砂かぶりの席4枚！
おまえ新聞屋よりプレイガイドにつとめたほうがいいんじゃないのか？
いやあまいったなあ はっはっはっ 3か月！
6月ビリー・ジョエル来日《らいにち》公演のキップあるの？
ビリーちゃん はい！ はい！ 武道館《ぶどうかん》のやつね アリーナ席で一番前5枚！ めったに手にはいらない席ですよ
消火器
悪いな いいところのキップもらっちまって！
いやあ お客さんによろこんでもらえれば！
こいつあおもしろい どんな席でもあるぞ！
じゃあな！ 気をつけて帰れよ！
バイバイね

バイバイって ちょ ちょっと ハンコおして くださいよ 3か月分！ キップだけ とるなんて ずるい!!
なにが？ くれるというから もらったんだよ だれも 新聞 とるなんて いっとらんぞ！
タダで そんな高い キップ あげるはず ないでしょ！ 常識だよ！
わしは よく 世間から 常識しらずと
そんなァ 大将 ねっ 1か月 サービスで いれるから 3か月だけ ねっ！
ほう 1か月間 タダで 新聞 くれるのか！
じゃあ その タダの分の 1か月間だけ とってやるよ
その1か月は 3か月と くっついてるの きりはなせ
どうせ 3か月なら 正月のが多くて とくだな 来年の一月と さ来年の一月 次の年の一月に わけて いれて くれんか！
3年ごしなんて わすれちまうよ つづけて3か月！
よし！ じゃあ 思いきって 自転車を サービス しましょう そのかわり 6か月間！
まだ まだ 自転車なら いいところ 3か月と15日だけ もう少し
じゃ 一日おきに 3か月 つまり 半年間に わたって…
ちょっと まって ください 頭が混乱 してきた！
まるで ドラフトの 交渉みたい だな………

先輩も ああいうことは 一歩も ひかないからな ねばるのは とくいだ!
ありゃ 昔っからだ! さぞ 親も 育てるのに 苦労した ことだろう
激戦は おわった ようだ……
へへへ バッチリよ バッチリ!
いったい なにを もらったんだ!
まず ロードパル一台 それと 高級置き時計 ポット コーヒーセット 洗剤10箱 歯みがき タワシ タオル マッチ
ずいぶん こまかい とこまで やったな…
それで なんか月 とる気だ… 一年くらい か?
いや 4か月と 3日間 とることに きまった
4か月と 3日だって? なんだ その3日 いうのは!?
その3日の 中に 歯みがきや タワシなどが ふくまれている
なんか 話を きくと 相手のほうが 気の毒になって きますね
みろよ…… 精も根も つきはてて 疲れきった姿 してるぜ……

だいじょうぶですか？新聞屋さん……
じつにおそろしい人だ……
新聞勧誘 この道3年 口先の魔術師といわれ…… 勧誘数 一万件までいった この わたしを わずか数十分で説得する人間が いたとは信じられない…
だめだ！自分は根性がない もっとがんばるべきだ
すっかり自信をなくしてしまったようだ…
先輩！やりすぎですよ
そうか…
ほら！メシでも くって元気だせよ 最高にうまい！
どうもありがたい 真心が 身にしみます…うっ
ドン
お巡りさん どうすれば あのように がんばれる ものですか？
そうだなま ひとことでいえば 命を はることよ

★週刊少年ジャンプ1979年24号

特別図解

■交通機動隊隊員の制服と装備■

バイの最新型は　スズキＧ《ジー》Ｓ《エス》750Ｅ《イー》
あるが　かれ（本田《はんだ》）は　ホンダが　すきで
ンダ・ドリームＣＢ《シービー》750 FOUR《フォー》-K《ケー》を
車にしている　なおエンジンは　ＣＢ《シービー》900Ｆ《エフ》
901CC《シーシー》 91PS《ピーエス》／9000rpm《アールピーエム》）をのせ　メーター
上には　カーステレオを　そなえている
れにとって　この白バイは　いまや　体の
部と化しているようだ

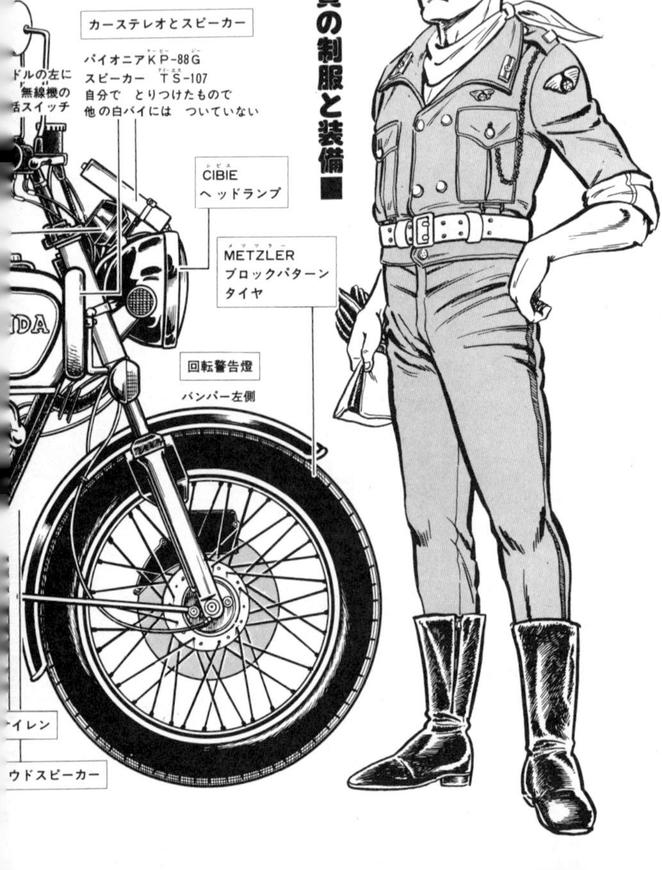

交通安全指導講習会の巻

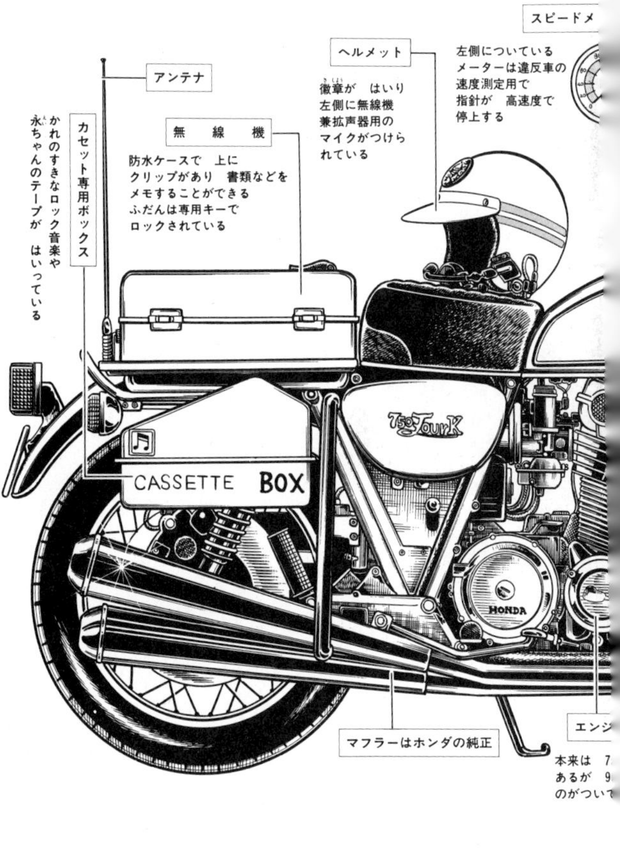

スピードメ
左側についている
メーターは違反車の
速度測定用で
指針が　高速度で
停止する
ヘルメット
徽章《きしょう》が　はいり
左側に無線機
兼拡声器用の
マイクがつけら
れている
アンテナ
無　線　機
防水ケースで　上に
クリップがあり　書類などを
メモすることができる
ふだんは専用キーで
ロックされている
カセット専用ボックス
かれのすきなロック音楽や
永《えい》ちゃんのテープが　はいっている
CASSETTE BOX
750 Four K
HONDA
マフラーはホンダの純正
エンジ
本来は　7
あるが　9
のがついて

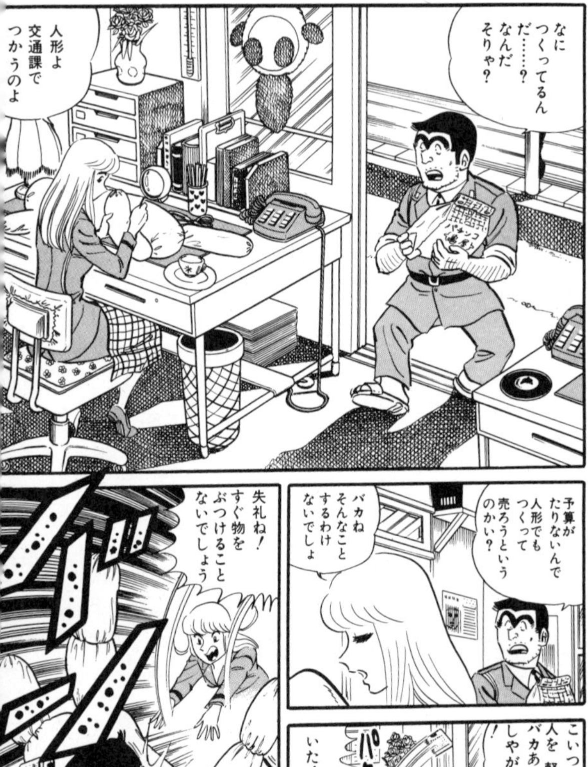
なにつくってるんだ……？なんだそりゃ？
人形よ交通課でつかうのよ
予算がたりないんで人形でもつくって売ろうというのかい？
バカねそんなことするわけないでしょ
こいつ人を軽くバカあつかいしやがって！
パカ
いた！
失礼ね！すぐ物をぶつけることないでしょう
ぐあっ!!

このやろう やるなら やってやろう じゃねえかっ
先輩 おちついてください
先輩 このごろ おこりっぽいですよ こらえてください
くく… ちくしょう
カルシウムがたりないのよ 両ちゃん
うるせえなっ ほっとけ
まだできてないんだから！
麗子… あとでおぼえてろよ
サッ
勤務中に人形なんてつくっていいのか
交通安全指導につかうやつですよ
なんだそりゃ？
きいてなかったんですか 明日 商店街で 交通安全教室をおこなうんです その教材のひとつですよ

できたわ これで服をきせれば完成よ!
そのやつ わしに にてるんじゃないか
そうかしら?
車にあてるための人形なのよ
縁起でもない まったく
先輩も交通安全指導員のひとりとして明日いくんですよ
えっ本当か?
市民にいろいろと説明をする役だそうです
めんどうくせえなあ
時間通りきてくださいよ 当日は 人がいっぱいあつまりますからね
わかった わかった ちゃんと

交通安全指導講習会
警視庁交通課
公園前派出所
亀有仲町こども会
酒をのんだら運転するな
左みて! 右みて! 手をあげて!
ガヤ
ガヤ
ザワ
両津はどうした?
さあ? きのうしっかりいっておいたんですが…
まったく生まれてから一度も時間を守ったことがないんじゃないのか…あいつ!
あっ今きました

目ざまし時計が 急にとまってしまって 私のせいじゃないんですよ
はあ
はあ
本田にむかえにこいといったのに あいつがこないもんで あいつが悪いんです!
おまけに バスが おくれてしまいましてね バスが 悪いんで 私は 全然悪くないんですよ
おまえの責任転嫁《せきにんてんか》のいいわけは ききあきた もういい!
部長 用意ができました
よし すぐいく!
交通安全指導講習会
いいか おまえ ちゃんと自転車で 実演するんだぞ
はあ?
えー 我われは 交通事故や 犯罪から 市民を 守るため 日夜 活動をしております
ガヤ
ガヤ
しかし 交通事故は 市民の みなさまの 協力が あってこそ 防止できる
TOYOTA

おかげで交通事故の死傷者はここ 数年間減少しておりよりいっそうのご協力をお願いします
亀有仲町こ
今日はよくある事故を例にあげて説明します
このように自転車での左折の場合は特に注意をはらってください
止まれ
先輩自転車のところへいってください
ちぇっみっともねえなあ
まったくバカバカしい…
こんなくだらん…ぶつぶつ…
ぶつくさうるさい男だ

このように
大型トラックなどが
まがる場合
内輪差によって
この男を
後輪で　まきこむ
おそれが　ある
ほう
なるほど
そうか
そうか
大型トラック
これから
実演いたし
ますから
よく
みていて
ください
くそっ
ようし
みていろ
トラック
さあ
この
ところ
ですよ
シャアアア…
ギィイイ
あっ
すごい！
かわした
パチ
パチ
すごい

なんだ全然あたらないぞ
あいつわざとにげたな
今のようににげると安全だという見本でした次こそ本番です
なん度だってにげてやる
このようにトラックと平行して走っている時も…
シャリリ
いきなり
ドグッ
うわっ
このようにハバよせしてくることがないとはかぎらないので注意することが大切なのです
なるほど……
大型トラック
ちっくしょう！
直角にまがることなんかないでしょうが！
ドガッ
ガン
なにがおきるかわからんのが交通戦争だ！

ケンカだ ケンカだ やれ やれ!
わー やれ ーっ
ガッ
グシャ
ガブ
ふたりとも やめてくださいよ みんなの前ですよ
ガウウ
ザ
えー 次は 近ごろ ふえている 50cc《シーシー》バイクの 事故ですね……
これは 正しい運転の 仕方をちゃんと おぼえてから のるように してください
警視庁交通
右みて 左みて
んだら するな
今日は 白バイの おにいさん 交通機動隊の 本田さんに 実演して もらいます
パチ
パチ
近ごろは 女の方でも オートバイに のってるそう ですねえ まったく おそろしい 世の中に なったものです は・は…は
えーと ですねえ まず センター スタンドを おろしましてね……
よいしょ
フラ
フラ
あっ
ガシャ
だいじょうぶかい あの人…
本当に のれるのかい?
ザワ
ザワ

みてられんよ おい! 本田の白バイ もってきてやれ
本当に あの人 白バイ隊員 なんですか?
よいしょっと こっちを つかって くださいと のことです
キィ キィ…
あっ ぼくのバイクだ そっちなら なれてるから つかいやすいんです
後方の安全を確認しながらすばやく乗車します
ガヤ ガヤ
また こけるよ あの人…
ダーッ
こうやんだよ てめえらっ よっく みてやがれ!
うおおおっ

右折
やるぞっ
カチ
ウインカーをだして！
バックミラーで後方を見
すばやくまがれ！
うおおおっ
さっきの人と本当に同じ人なのか？
いよっ あにィ きまってるぜ
次 停止！

ピタッと停止線でとまること！
いようベイビーきまったか！
うおおっ最高！
いかしてるぜ！
ウオワー
アイラブユー
O《オー》・K《ケー》！
ワォン
うおおっ永《えい》ちゃん
ギュン

これじゃあ暴走族の集会じゃないか！これは交通安全指導なんだぞ!!
あいつがでるとついついもりあがるんですよ
早く正しいのり方を指導しろといってこい！
はい！
おい　おい本田こらっ！
うおおオレのボルテージは最高潮《レッドゾーン》だぜ
よう両津のダンナきまってたろ
曲のりじゃないんだぞあくまでも安全運転ご
正しいのり方をしろ！部長におこられたぞ
正しいのり方なんてしらねえよ昔っから　これで
正しい運転姿勢ってのはこんなふうだったか？
ちがうちがう背すじをのばしてもっとシートの前にすわれ
そうそんなもんだな
本当かよこんな姿勢じゃこわくて

次は ふたりのりです このように 白バイの おにいさんたちは みな ライダーの 手本になる 運転技術を もってます
ヴオオッ
走りだぜ これじゃ みてる ほうも あきるぜ
そうか
ウオッ
それじゃ ちょっと 市民に サービス するか…
そう こなくちゃ!
あら よっと!
ヒョイ
おおっ すごい!
ワ
ワ
ワ
ドウオオッ

いよう やれやれ！
アクロバット白バイ！
あのバカものどもめ どこが安全運転の模範だ！
ヴォオオ
あいつらはほうっておこう 次いこう 人形を用意してくれ
はい！
次は車に対してのショックについて……
人形をつかって実験して
中島製作所
美雪酒店
まず時速20キロでぶつけてみます
ヴロロロ…
きゃあ
うわっ
ドン
このようにわずか20キロでもかなりのダメージがありますだから車には十分《じゅうぶん》注意してください
つづいて30キロの場合…
ヴロロ…

おい 本田
むこうに
人気が
あつまっち
まったぞ
ちっ
くそ!
ドドド
今度は
火の輪でも
くぐるか!
ばか
そりゃ
やりすぎだ
ヴォッ
ホンダの
CB《シービー》か…
イモバイク
だな……
ヴォッ
キイッ
うぎゃ
もう一度
いってみる気
あるか?
白バイ
じゃなくて
イモバイだ
へっへっへっ

おもしれえ 相手になって やろうじゃ ねえか！
あっ
やめろ 本田 部長が いるから やばい！
てめえ どこが イモだ！ このやろう
うわっ じょうだん じょうだん
やめろ やめんか おい！
いてえ ポリ公 おすな！
ポリ公って ことばは ねえだろ こいつ
やるか このやろう！

クオーン
ヴォオオ
バキ
てめえ
やろう
ボキ
きゃあ
なに
ごとだ!
先輩と
本田さんが
若い連中と
ケンカしてる
んですよ!
なんだ
と!?
警視庁の
悪魔
どもめ!
思いしらせて
やる!
部長 だしてくれ!
わたしは 悪くない
本田が 全面的に
悪いんだ!
やめてくれ~~~
ダミー人形じゃ
ないんだよ~~~っ
これより
車どうしの
ショックテストを
始めます!
中川 やれっ
100キロで
思いっきりな!
ガタ
ガタ
ガタ

本官は金無中！の巻
HONDA《ホンダ》
CB《シービー》 900F《エフ》
BOL《ボル》 D'OR《ドール》
901cc《シーシー》
91PS《ピーエス》/9000rpm《アールピーエム》
233kg《キログラム》
HONDA
NAKAGAWA
HONDA
900

部長 おはようございます
おはよう！
広辞苑
小六法
近ごろは めっきり ひえこんできたなあ
まったくですねえ
ガチャ
なんだ これは !?
ガシャ
ガシャ

先輩のオモチャだ…近ごろみないと思ってたらロッカーにかくしていたんだ……
こんなガラクタばかりあつめてるなんて犬のような男だな……
あきっぽいうえ新しい物ずきだからたまる一方だよ……
これじゃお金がすぐなくなる
あいつは貯金などしてるのか？
おそらく1円もないでしょう太く短く生きるんだと
全然ないのか！もらっただけ全部つかっちまっているのか？
あの性格じゃ100万円あっても1日でつかいきってしまうんじゃないんですか
100万円なら1時間でつかってみせるといってたわ自信があるって！
なにを考えて生きているんだ
石油成金の王さまじゃあるまいし金の大切さがあの年でまだわかっていないらしいな……
何考えて生きているんだ…
だからお見合いをなん度やってもだめなのよねえ
見合いの場合はそのほかにもいろいろと原因が

あいつの性格をなおしてやる
!!
えっ両ちゃんを!?
先輩の性格をですか!?
30をすぎてまったく無計画でその日ぐらしの男など警察官としてハズべきことだたたきなおさんといかん!
そうねだれも注意する人がいないからそれがあたりまえと思いこんでいるのよね
その通りみんなで協力してやるんだぞ
どうもおはようございます
みなさんおあつまりでなんの相談ですか?
いってるそばからまた なにか買ってきたぞ…

なに買ってきたんだ? みせてみろ!
いやあ みせるほどの物ではありません
サッ
いいからみせろといってるんだ!
部長がみてもしかたないものですよ!
あっ
ヒョイ
一発逆転早うち戦車くん! 低学年用
こらっ かえせ 買ったばかりのものごぞ
部長!
パ
うむ
中川 返してこい 事情が あって急に いらなくなったとな……
はいっ 部長
これを買ったところは駅前のオモチャ屋だな……
もちろんですよ 私は お得意なんですからね!
あーーっ 事情などないよ 返してくれーーっ!!

両津 今 いくら金もっている?
な…なんですか突然!
今のオモチャ買ったから30円しか残ってないですよ……
まるで小学生のこづかいなみだな
いいカ! おまえは今日から生まれかわるんだぞ!
金のありがたさを身をもってしるんだ!
金のありがたさは十分《じゅうぶん》しってますよ! 馬券を買えないつらさはひどいものですよ
そんな金じゃないっ おまえの生活していく金だっ
きくところによるとあらゆる友人に借金しているそうじゃないか そんな肩身のせまい思いをしてくらすのはいやだろう
べつに! 全然気にしてませんから……
30をすぎてオモチャ屋がよいをしているなんて親がきいたら心配するぞ!
親はすでにあきらめていますよ 心配ありません
金をもっているからつかいたくなるんだ 今後 わしがおまえの給料を 全部あずかる
そ…そんな殺生な!!

給料の70%《パーセント》は貯金!
残りは生活費 こづかいは1か月3000円 こづかい帳をみて わしが納得した時だけ こづかいを認める
それじゃ まるで 私は部長の子どもみたいじゃないですか ひどい!
お金なんて つかうためにもらうんですよ あんな物ためといたって なんにもなりゃしませんよ
今に わたしたちに感謝する時がくる いつかわかるぞ… いつかな…!
オモチャ返してきました
うむ ごくろうだった
ちくしょう なんのうらみがあるんだ…
ブロロロ!

内線 3619
内線 6408
内線 3190
内線 5602
内線 5563
内線 0492
麗子くん そろそろ お昼に しよう
はい
注文 とるわよ なにに するの?
はい! はい! カツ丼 ひとつ
じ〜〜っ
な… なんだよ! まさか メシまで たべさせない 気かよ
両津は 自炊しろ 米は ちゃんと 奥にある
ちぇっ ひでえな わしだけ 自炊か!
だめだ 自分で つくるんだ 人の助けを かりては いかん!
えっ 自分で やるの!
麗子さん 今日は きれいだね メシたいて くれると もっと きれいだよ
もう〜 しようが ないわね!

職場で米をたいて自分でおかずをつくる人間なんてわしぐらいだ
なんでこんなことまでしなけりゃならないんだよ
シャカシャカ
節水
ザーー
今日の部長はなにかあったのかな…
ふうメシのほうはこれでよし次は魚だ
ずいぶんでけえ魚だななんの種類かさっぱりわからん
とにかくにこんでしまえばなんだって同じだ!
ボキ
その魚ちゃんと水洗いしたの
しらんよ冷蔵庫にはいってたからつかっただけだ!
クイズ 両さんの料理してる魚は何でしょう?
グツ グツ
ほんだし

ウロコがついたままじゃないのハラワタだってだしてないわよ
そこまで気をつかっていられん! べつにいいよ!
だめよちゃんとしないと
うるせえなあこうすりゃいいのかこう!
ガリ ガリ
そうじゃないわよ包丁をたててこうよ!
ほうなるほど…
バリバリ
そしてちゃんとさいてから料理するものよ…
手なれたものだな……
オホン
あっ
お茶
和歌山のみかん
わかったわね! あとは自分でやるのよ
おい! このままにしていくのかっ
大切に!!
ちぇっ 最後までやってくれりゃあいいのに…
この中をひっかきだすのか……

骨もとったほうがいいだろうな……
グリ
グリ
頭もちょんぎったほうがいいな……
まるで理科の実験みたいになったぞ
あっいかん！わすれていた！
カーン
カン
こりゃだめだダシがにえすぎてカラカラの顆粒にもどってしまった
おかずの魚の煮つけ変更せねばならんな
ニャーン
てめえこらっかえせ!!
まてーっこのやろう！
あっドラネコきさま！

つかまえたぞっ このやろう!
フギャ
あっ たべるな こらっ はきだせ!
モグモグ…
おい! かえせ のみこみやがって!
はき だせ! だせっ!
このやろう 人間さまのくいものを……
ようしわかった!
つぐないはおまえの身をもってかわりとするネコの煮こみにしてやるからな!
火の用心

きゃあ なにする気よ 両ちゃん
あっ
いくら おかずが 少ないからって ネコまで 料理する ことない でしょう!
ばか! そいつが おれの魚を たべやがったんだ!
自分で 魚を たべておいて ネコの せいに するとは けしからん
うそじゃ ないんだ そのネコが とったんだよ
よしよし かわいそうに こんなに おびえ ちゃってる
ちくしょう 人間より ネコを 信じるとは なんて
メシは あるが 魚の骨と シッポじゃ どうにも ならんな
あのネコ 小さいわりに よくたべや がったな!
切に!!
おかずは もう なんにもない… まさかビールを かけて
こうなったら 原始的な おむすび しかないな
まるで 運動会の 弁当だよ

あらっ
オニギリに
したの？
おもしろい形
してるのね
うるさい
人のことなど
ほっとけ！
ちょっと
気の毒
ですね
あまやかしては
いかん
きびしくせんと
な！
そうだ
タバコを
きらしてたんだ！
ぺろ
ちょっくら
買って
くるか…
こら！
むだづかい
しちゃ
いかん！
だいじょうぶ
ですよ
ツケで
買うん
ですから
バカモノ
ツケでも
結局
金を
はらうんだぞ
おまえは
今日から
禁煙しろ
一本も
すっては
いかん！
そんな
ばかな
無理だ！
そして
酒もやめろ
酒のかわりに
水を
のむんだ！
えーっ
そんな
仙人みたいな
生活できる
わけないよ！

それでは おまえに 今日の おこづかい 100円を あたえよう
たった100円！
たった などと いっては いかん 100円あれば 電車にも のれるし バスにものれる エンピツや けしゴムも 買えるし ペン先も 2本買える
ちぇっ わかりましたよ
ようく 考えて 有効に つかうんだぞ
中川 両津のあとを つけていって ちゃんと たしかめて こい！
はいっ
たかが 100円で みはりまで つけやがって くそ！
ビィーーッ
おじさん セブンスター バラで 8本ばかり 売ってくれ
パチン
はっ？
先輩は 禁煙中 ですよ
わかってる 皮肉の つもりで やったんだよ
バカッ

今どき100円でなにが買えるというんだっ
さっき部長もいったでしょう電車ものれるしバスも……
電車だって片道だけだろ帰りは どうするんだよ
帰りはまあ……あるいていくなりそこを自分で考えてですね
じゃねえこんなものいるかっ
チャリーン
コロ
コロ
あっ
ポチャッ
100円が下水におちたぞ
今日の分はあれだけですよ
なにっ100円制度を拒否してドブへすてただと!
かなり強硬な態度にでているようですよ
おーい100円でてこいこらーっ
こづかいを…ドブに…なげこむ…と
ガチャガチャ

おとなしく競馬の予想でもしてたほうが無難だな
おやっラジオの声が小さくなるぞ……
むっ これは いかん電池がきれかかってる……
これじゃ小さくてききとれんよくそ!
ねえ部長!ラジオの乾電池買ってくださいよ
なに!?
いったいいくらするんだ
単3ナショナルのハイトップ1本40円4本で
160円か…2日間ちゃんとためて買うんだな
今ほしいんだよ前借りさせてっ2日分!!
人間がまんすることをしらんとだめだ!たえてこそ強い人間になる
強い人間にならなくてもいいから160円 今 ほしい
その前借りをすれば すむという 安直な考えがいかんのだっ
だって2時に 発走するんだよ馬は 2日もまってくれないよっ

ねえ部長あとで返すから…ね160円!
おまえを借金人間にするんだバカモノが!
あっ
そのあとで返すという精神が…
部長!
いいんだあのくらいやらなければひとりの人間の革命はできん!
両ちゃんだいじょうぶ…?
いつつつ…
うるせえさわるなちくしょう!

わかったよ！ もう 金 くれなんて 二度と いわねえぞ
金なんざ こんりんざい つかわねえ 死んでも 手に するもんか!!
1か月後
はあい〜〜 ごめんな〜〜 さいよお〜〜
フラ〜〜
ジ
ぶちょう〜 千葉にィ〜 ヨモギを〜 とりにィ〜 いってたのれ おそく なりまして は〜〜〜
わ… わかった わかった
ちょ〜いと すいませんね 台所でぇ 調理を したい のれ〜
はっ はい！
フラ〜〜

ますます無気味な形相になってきたなあ……
ここ30日間草と水しかたべてないようですから
そのかわり金は残ってるぞ給料全額そのままだ
そこまでして お金を残しても意味がないわ死んでしまうわ!
部長もうぼくたちの負けですよあやまりましょう
うむこれ以上続けるとあいつの生命も心配になってくる……
おい両津…いや両津くん!
グツ
グツ
な〜んですかあ〜ぶちょう〜
わっいきなりふりむくな!!
ドキッ
わたしが悪かったお金を返すよ自由につかってくれたまえ
かァね……?
か〜ねってなんですかあくいもんですかあ〜うまいんですかねえ〜
だいぶ人間の革命をしすぎた 今度は金の つかい方から教えんと だめだ
ムシャ
ムシャ

★週刊少年ジャンプ1979年50号

台風に愛された男の巻
HONDA
CBX
SUPER《スーパー》 SPORT《スポーツ》 BIKE《バイク》
HONDA《ホンダ》 CBX《シービーエックス》 〔EXPORT《エクスポート》〕
1047CC《シーシー》 105PS《ピーエス》／9000rpm《アールピーエム》
249kg《キログラム》

南鳥島《みなみとりしま》の南海上に
発生した
台風26号は
関西中部《かんさいちゅうぶ》に 大雨をふらし
今夕にも 関東地方《かんとうちほう》に
達する見込みです
気象庁《きしょうちょう》の
観測によりますと
中心気圧
950ミリバール
最大風速45メートル
今年 発生した
台風では 最大です
このため 今夜から
明日にかけ 雷雨による
極地的大雨の恐れがあり
気象庁は 東京はじめ
関東各地に 大雨・洪水・
雷雨警報を発令
土手の決壊などの警戒を
よびかけています
MILD SEVEN
ヒュウ!
漫画ばかり
みてないで
少しは
手伝って
ちょうだい
よ!
え?

手伝ってって
なにかどうかしたのか?
台風がきてるのよ
ラジオきいていなかったの?
たかが台風くらいで大騒ぎするな!
大型の台風が接近してるのよ!
アニメ大作
ホルスの大冒険
緊急用品買いだしにいってよ!
わしがおつかいにいくのか?
グイ
ロウソク懐中電灯食料など買ってきて
近所の人たちが借りにくるかもしれないわ
多めにねっ
ちぇっめんどうだな……
ビュウウウウウ
カン
カン
そういわれてみれば世間も準備しているようだな
今さらじたばたしたってどうしようもねえだろうに
マメだな
ゴオオ
おっ風もでてきやがったな

なんの！これしきちくしょう！
むかい風なんかに負けてたまるか！
ビュウ
ググ
犬猫総合病院
ちくしょうもっと看板をしっかりつけとけっくそ！
ビュウウウ
カラコルム
あっ自転車までとばされちまう！
ファッ
まったく冗談じゃねえよこんな日に買いだしだなんて…
喫茶店でコーヒーでものんで体力つけてからいくことにしよう
ヒュウウ
営業中
ふうここは天国だな

まだこの店には残っているのか!
金も さっき麗子からもらったのがあるしやってみるか
おい! この三千円全部100円玉にかえてくれ!
はい
グオオオーーッ
多摩《たま》地区《ちく》でただ今 雷をともなった大雨がふっています
ヒュウウウ……
ザワ
ガタ……
もうすぐこっちもふってくるぞ窓を ちゃんとしめておけ
両津はどうした?
ヒュウウウ
1時間ほど前に買い物をたのんだんだけど……

この風でとばされたんじゃないかしら心配だわァ
ヒュウウウ
あいつは人をおしのけても自分だけは生きる男だ心配無用だ
あっくそ!
おしいもう少しで9万点までいったのにな ちくしょう!
もう100円玉 全部なくなっちまった!
もうやめた! こりゃあきりがない
もう5時か……遊んでると時間がたつのが早いな
そういえばなにか…用事があったような気もするな…
えーとなにか…
そうだ! 買い物にきたんだ! すっかり忘れてた!

大変だ もう2時間も すぎちまってるぞ！
お客さん 外は 嵐ですよ！
嵐だろうが いかねば ならんのだ
うぎゃっ
ズザアアア
さっきは 風だと 思ったら 今度は 雨か… まるで滝の ようだな
ザー
ザー
なんの これごときの 雨に くじけるか 根性で いく！
ザー

ビュウウウウウ
ザザッ
走るというよりも水の中をこいでいるといったほうがいいようだ
ふう足がつかれるな非常に重いくそ!
ビビビッ
ザザザザ
バシャ
うわっぷ

ブオオオ
雨の日にスピードだして走るな
水圧でたおれるじゃねえか
ヒュウウウ
まったく人のことなどおかまいなしだよ
ボチャッ!!
ちくしょう マンホールのフタがはずれていやがった
もう少しで死ぬところだった
ザザ
なんとかたどりついたな
Coca-Cola
よろずや 打木商店
ヒュウウウ
おい こら あけろ! ロウソク買いにきたぞ!
ドンドン
おや 戸がはずれてるじゃないか…

風ではずれたのか…水が 中に入っちゃってるぞ！
ビュウウゥ
コーヒー
大特価
大安売り
両さん いいところにきた！ 水をだすの手伝ってくれ！
ザブ
ザブ
あっ
わしは ただ ロウソクを買いにきただけだ
ロウソクなんてタダにするから早く！
ロウソクだけじゃない 懐中電灯や缶詰なんかも買いにきた
わかったよ 全部 めんどうみるから手伝ってくれよ
酒や漫画もたのまれてきたんだがな……
わかったよ！ やるよっ だから水を 早く 商品がみな ダメになってしまう
よっしゃ そうときまればまかせておけ！

ビュウウウ
LUNA
ガシャン
きゃっ
風でカワラがとばされてきたんだ
先輩はまだ帰ってこないですよ部長！
ヒュウウウ
心配だからちょっといってみてきます
まて！いくことはない！
両津でも警察官のはしくれだいつでも覚悟はできている
もしものことがあったらみんなでいわって…いや悲しんであげようじゃないか諸君！

へっくしょん!
だいじょうぶかい
両さん…! しばらく家で休んでいったらどうだい?
心配ない
雨も ほとんどやんできたし
ひとっぱしりよ!
ポッカレモン
だれかイヤなうわささでもたててるんじゃねえのか
いやあおかげで助かったよ
ゴロゴロ
雨はいいが雷がでてきたぞ
くそ! わしにうらみでもあるのか!?
ゴムの雨ガッパと長ぐつ はいていったほうが安全だよ
そうか借りるとするか…

これで完全武装だ！
本当にだいじょうぶかい？
あたぼうよ これならどんな嵐が きても へっちゃらよ はははは
へっちゃらと いったとたん きたぞ！ 両さん ひとりを 集中的に せめてる ようだな
ちくしょう くるならこいっ いつでも 勝負してやる！

じゃあな おれは いくぜ
ビュウウウ
よろずや 打木商店
Coca-Cola
うぬっ ちくしょう
なんの これしき
バラバラバラ
大自然に あそこまで たたられるとは よほど ふだんの おこないが 悪いのかな…
よし! こっちが 近道だ ぞ!

バキバキ
この台風やろう やることすべてじゃま しやがって!
バシャ
ようし わかった!
バシャ
勝負つけてやろうじゃねえかっ こい!!
相手にとって不足は ねえ さあ こい!!
むっ
ゴゴゴゴゴ
ガガッ

ふぎゃあああ──っ
ビビッ
バチチ
ちくしょう ひきょうな手を使いやがって!
目には 目を 電気には 拳銃を!
くらえ──っ
ズギュ
ズキュ
ぎゃあ──っ
あっ いかん 通行人をびっくりさせてしまった

お巡りさんがつかまえてくれたその男はドロボウなんですよ
えっ
台風のどさくさにまぎれて店の品物をかっぱらっていったんです
なんだと!
わしもちゃ〜んとしっててうったんだぞ
というわけでとっつかまえてきました!
ふとどきなやつめ!けしからん
へんだなむこうは晴れているのにこのまわりだけ 大雨だ
ザー
ザー
両ちゃんがきてから急に 大雨になってきたわよ!
しらん しらん

昔は 台風に
女性の名を
つけたけど……
この台風も女性で
先輩が
すきなんじゃ
ないですか
そんな
ばかな！
いいがかり
だ！
そういえば
両津が買いだし
いってる時は
雨は
やんでいたな
部長
まで
そんな！
きゃあ
水がどんどん
中にはいって
きたわよ
ザザ
ザザ
両津
どこかに
移動しろ
別な場所へ
いけ！
本当に
信じて
いるんです
か!?
はいっ
雨ガッパと
長ぐつ！
中川
おまえも
か！
部長は 鬼の
ような 人間だ
部下を虫ケラ
同ように
思ってる
ろくでなし
だっ
さあ
はり
きって
いって
こようか
なっと！

★週刊少年ジャンプ1979年43号

XS
Eleven
YAMAHA《ヤマハ》
XS《エックスエス》 ELEVEN《イレブン》 (EXPORT《エクスポート》)
1101cc《シーシー》
95PS《ピーエス》／8000rpm《アールピーエム》
200km《キロメートル》／h《アワー》
255kg《キログラム》

オクラホマ・
ミキサー
の巻

花を大切に
もうすっかり秋ですねえ
まったくだ
グオーッ
あいつには夏も冬も関係ないな
一日の半分以上ねてるんじゃないかな…
こんにちは!
両さんいる?
なんだ洋子《ようこ》ちゃんか…

あら…
ねているの
グーオー
ちょっと
まって……
今
おこすから！
いいわよ
そんなこと
しなくても
グーオー
じゃ
おきたら
これ
わたして
おいてね
いいの
かい？
文化祭の
招待状
……!?
招待状
本郷女子学園
文化祭
こんな男に
女子校から
さそいが
くるとは
信じられんな
へえ～
ちゃんと
入場券と
コーヒーの
無料券まで
ついている
じゃ
たのんだ
わねっ
ああ
わたして
おくよ

女の子には先輩の野性的なところがめずらしいんじゃないですか
そうだよきっと動物でもみるような気持ちなんだ
ガチーン
野性児で悪かったな!
あーっ先輩!
いてっ
おきていたんですか
今の悪口で目がさめた
これ洋子ちゃんから
ん…なんだ?
女子校の文化祭ですよ
今週の土・日は勤務だぞ休んでいくのか…
うるせえないくはずないだろ
女の学校なんていけるか!

えーと この道を まっすぐ いって…と
本郷女子学園 案内図
右へ まがって ……
目の 前に……
本郷女子学園 案内図
あった! ここが 洋子の 学校か……
本郷文化祭会場
入場券を 受付で おわたし 下さい。
本郷女子学園
さすが 女だけの 学校だけ あって はなやかだな……
どれ ちょっと よって みるか…
ガチャッ

おや?
本郷文化祭会場
おまえ なにやって いるんだ そんな ところで…
あっ お巡りさんだ
あっ にげる気か まて!
ダッ
つかまえたぞ このやろう チカンだな てめえ!
とっ とんでもない ちがい
じつは この学校に すきな人が いるんです
それで 今日 それを うちあけようかと きたんですが… はずかしくて…
相手は おまえが くること しってるのか
い いえ… ぼくのことも 全然 しらないと 思いますから その……
ぼく 帰ります やはり ぼくなんか だめです
おい ちょっと まてよ

相手に きいて みなけりゃ わからない だろうが！
きっと ことわられます いわずに 青春の 思い出として 心に しまって おくほうが いいんだ
若い者が そんなこと いってて どうする あたって くだけろ！
グイ
これだけ いっぱい いると わからない な！
ぺたんコンサート
特別出演
新聞部
マンガ展
TOM & JERRY
画展
中島みゆき ペルタンコンサート
100円
ガヤ
ガヤ
3-3
3年3組の 教室…たしか 文化祭では 喫茶店を やってるはず です！ スヌーピーの エプロンして …はい
気の 小さい わりには よく しらべて いるな

ここだ!
ここに
いるんだ
な……
3-3
営業中
喫茶園
ぼく
やっぱり
帰ります
どうせ
だめです
おい
まてよ!
ここまで
きて
にげるやつが
あるか!
青春の
ほろにがい
思い出として
のこしたほうが
いったい
どいつ
なんだ?
え!
あの
カウンターの
中にいる
人です
あっ
洋子!
メニュー
ブレンドコーヒー
オレンジ
ソーダー水
ジュース
紅茶
どれ……
カウンターの
中にいる
女……

えっ お巡りさん しってるん ですか？
いいや べつに その……
やはり やめておいた ほうが いいんじゃ ないのか…… あきらめた ほうが いい
やはり そう ですか……
あら やっぱり 両さん じゃない！
やっぱり きて くれたのね
いや ちょっと 近くまで パトロールに きたものでね …はは
なーに すぐ帰るよ やぼ用だから ね
お花の水は 毎日 とりかえ ましょうね
ゆっくり していっ てよ

今 コーヒーを いれるわ すわって まっていてよ
そう… 悪いね わざわざ
そちらの 方は どなた なの…
こちら? ただの 通りすがりの 者だ 気にしなくて
お巡りさん あの方と しりあい なんですか
キリ…
まあね わしも 顔が 広いからな
3-3
かの女は プレイガールだな ぼくなんか とても だめだ 帰ります
まてよ こらっ はやまるな!
せっかく 花束まで もって きたんだろ おまえ そんな 気の弱い ことで どうすんだ
やはり 青春の 思い出として 心の奥に…
また はじまった すぐ これだ!
ただ今より 中庭で フォークダンスを おこないます ふるって 参加して ください
お花の水は 毎日 とりかえ ましょうね

おい
フォーク
ダンス
だってよ!
チャンスじゃ
ないか!
そ…
そう
ですね
チャンス…
だ!
おい
洋子ちゃん
いっしょに
いこう
そうね
みなさん
中庭に あつまって
大きな輪を
つくってくだ
さーい!
ガヤ
ガヤ
ザワ
ザワ
あれ?
あの
純情青年
どこへ
いったん
だ!?
キャッ
キャッ
お巡りさん
ちょっと!
こっち
こっち!
ガヤ
ガヤ
あ…
あんな
ところに…

なにしてんだ早くしないとフォークダンスがはじまってしまうぞ
ガヤガヤ
ややはりだめですそんなだいそれたことなど…
せ…せめてかの女の写真ほしいんです協力してもらえますか？
マロン クレープ
べつにわしはかまわんがな…
おい！ここからとるのか？だいぶ遠いぞ
ガヤガヤガヤ
だいじょうぶです
ゴソ
この日のために春休み夏休みと一年間バイトして望遠レンズを買いました
ザワザワ
涙ぐましくなるな
たのんで近くにいってとったほうが早いんじゃないのか？
ガヤ
ここからでも十分《じゅうぶん》ですなん度も練習しましたからね
あの前の男じゃまだなちくしょう
こらっおまえじゃまだ！あっちいけっこのバカものが
!!
ダダ
ガタタタ!
わっ

まったく かの女の 前に たつなんて ゆるせない
洋子の ためと なると 人が ガラッと かわるな
バッチリ
ついに とった! うれしい
この写真 全紙に のばして パネルに しよう
うっ うっ うっ
ぼくの 宝物だ!
感激!
まったく まどろっこしい男だ こい!
グイ
うわっ
男なら あたって くだけろ! アタック してこい
おいしいよ 100えん
マロン クレープ
クレープ 1まい 100円
あっ
きゃあ ーーっ
あいたた… 大事な カメラが…
あ!?
ヒュ

あら
さっきの人ね
だいじょうぶ!?
いやあ
ははは…
おはずかしい
は…は……
て…手を
そえるなんて
そ…そんな
大胆な!
カメラ
どうも
すいま
せんね
いっしょに
おどり
ましょうよ
さあ
そ
そんな!
めっそうも
ない!
バチが
あたり
ますよ!
青春の思い出
として
大切に……
ですね
オクラホマ・
ミキサーを
おこない
ます

あっ
ギュッ
うふふ おもしろい方ね……
ドキ ドキ ドキ
さあ はじまったわよ
あ… あの……
手間のかかるやつだ…
どうもありがとうございました!
ぺったん コンサート
TOM & JERRY
どう だった? 学生……

せ…青春っていいものですね……お巡りさん
そそうだな…
ぼ…ぼく大感激しちゃった……あ あこがれのかの女とフォークダンスおどれたなんて…うっ
うっうっうっ
そうかよかったな
ぼ…ぼく生きていてよかったなあ……
一生わすれません！う…う……
そうかそうか…
うっうっうっ
もう この世に思いのこすことはありません……うまれてきたかいがありました感激です う…ううう…
わかったわかったあとは 家に帰ってから感動しろ…な！
うっうっうっ
べったんコンサート
TOM & JERRY

も〜えろよ
もえろ〜よ
炎よも〜えろ
つたのォ
からま〜るチャペールで
いのり〜を
ささ〜げた日〜
ゆめ多かりし〜
あのこ〜ろの
思い出をた〜ど〜
れ〜ばっ
感激！
かの女
ぼくをみて
ほほえんで
くれましたっ
う…うう…
わかった
よかったな
家へ帰ってから
なけよ
な！
亀有公園

へえ 本当に 純な 学生ですね
この顔に ピンときたら 110番
おかげで こっちは なだめるのに ひと苦労 だったよ
お巡り さん
ギャッ でた!
きのうは ありがとう ございました ぼく 今でも 感激して ます!
そ そうか わかったから ここで なくな!
お礼に 文化祭で お巡りさんを かくしどりした 写真を パネルにして きました
ほう そうか? どんなの ご……
グラウンドで ねてるとこです 気にいって いただけるか どうか?
いらん! そんなもの! そんな大きく のばすやつが あるか! バカッ

★週刊少年ジャンプ1979年47号

警視庁
34-01
ISUZU

スーパー麗子！の巻

そこのトラックどきなさい！そこは駐車禁止です
悪質な違反駐車はレッカー移動します
おい 下のほうでなにかいってんじゃねえか……
ミニパトのねえちゃんだ小さいのがきとるよ
おい昼寝のじゃまだ…迷惑だぞ
そこは駐車禁止です！ただちにどきなさい!!

運転のしかた わすれちまったんだけど かわりに運転してくれよ…
バカなこといってないで早くどきなさい……
ねえちゃん わしとデートすんべえ
ペタ
きゃあ
早く動かさないと罰金とるわよっ
わかった やるよ…
よいしょっと……
グイーッ
きゃーーっ
グワオオッ
ガシャーン
いやあ 悪い だから運転のしかた わすれたっていったろ…
ハハハハ
もう〜 おぼえてらっしゃい

ねえちゃん 今度 くる時は デスコ いくっぺよ
楽しみに してるぞ はははは
……と いうわけよ 本当にもう 女性だと 思って 頭にきちゃうわ
本当？ あんたたち それで だまって 帰ってきたの…………
だって しかた ないわよ 相手は 大男たち よ………
そこで 麗子に 相談 なんだけど いっしょに パトロール してくれない かな…？
ええ いいわよ
うわーっ よかった 麗子が くれば 百人力よ
ピザでも おごるわ さあ いきましょ
そういえば 今日 男の人が みえないわね どうしたの？
そう ねえ…
うん…… みんなで プールへ いってるのよ 今日 暑いでしょ
本当に ユニークな ところね

ミニパトの
ねえちゃん
また
こねえかな
へへへへ
からかうのが
楽しみだ…
その車
どけなさい
ブロロロ…
おっ
きた
きた!
おーい
ねえちゃん
おれとデート
するべえ
デスコ
いくっぺ
ははは
あらァ
うれしいわね
わたしを
デートに
さそって
くれるの…?
警
バ
タ
ン

ねえ 早く つれていって よ………
いや その…… じつは… あの〜〜〜
さあ いきましょうよ 原宿《はらじゅく》でも 六本木《ろっぽんぎ》でも…
うわっ おい！ たすけて くれーっ
はっきり しない 人ね！
おい 運転手 つれて いくなよ こら！
え？
なによ この人が 先に さそって くれたのよ
じょうだん で いったん だよ こいつは…
わたしは 本気に したわよ！ 今日から わたしの ボーイ フレンドよ
こいつが いねえと 車が 動かせねえん だよ！
クイッ
それじゃ ふたりで 運転 しましょうよ 仲良くね
えっ

まてよ
おい
デートの
じゃまは
ヤボよ
バタッ
さあ
いきましょう
ダーリン
てめーっ
バカ!
ねえってば
こっち
むいてよ
バカ ウフン
やめろ
仲間の
トラックに
あたっちまうよ
えんりょ
しなくて
いいのよ

お おい
ク…クビが
まがらなく
なっちまった
ぞ……
あっ
え!?
一時停止は
まもらないと
だめよ
わたし
婦警だもの
もう
いや!
たのみます
ゆるして
あやまります
クビを直して
ください
わかれば
いいのよ…
えい!
ふぎゃ
な…
なおった
合気道
だてにやって
ないわよ
へへ…
ようし!

クビさえ直りゃあこっちのもんだ！
ガオーオム
バッ
ギャアアアアッ
どうだプロのおそろしさでちびるなよ
がっははは
どうだ150キロだっこわいだろ
全然…

えんりょしないでぶつけてみたら？
あっ
ゴオオオッ
ぎゃあぶつかるぞ!!
ぶつかりたいんでしょう
グアアッ
ぎゃあ
ギギッ
ピタッ
あんたにゃ負けたよ！かんべんしてくださいよねっ！
わかればいいのよ

麗子
いる？
この前のトラック
またやってるわ
タバになって
わがもの顔に
暴走してるわよ
えっ
本当！
わたしが
せっかく
いいきかせ
たのに
まるで
きいてない
ようねえ……
女が
注意したって
きかねえよ
しょせん
女は
あさはかな
ものだからな
なによ
その
いい方！
ビュッ
おっと
最近
両ちゃん
すばしっこく
なったわね
ははは
夏は　わしの
シーズン
燃える男！
サマー
エンジェル

えい!
ビュ
なんのこの女!
もう——っ
ビュッ
ビュッ
みよっこの軽快な動き!
意地でもあててやるわ!
意地でもにげてやるわ…
よいしょっ
おい!
しつこいなおまえ……女は本当に執念深い…
ぜい
ぜい
もうにげられないわよ
はあ
はあ
おいつめられたネズミはネコをかむってのをしってるか?
えっ?
こうやんだよ——っ

てやあ どりゃあ
男のパワーを思いしれっ
きゃあ——っ
なんのさわぎだ いったい
やったな
てめっ
このっ
この麗…
麗子は そ そこにいる…
どうだ この男にかなうと思うのかっ
まいったか! 麗子めっ

するとこの下の…麗子は…
そぉ…
めっ
バ
麗子の顔が一瞬部長の顔にみえた…
目がつかれてるのかな…
仕事のしすぎかな…
もう一度……
チラッ
いかんまだ目がつかれとる……
バッ
いいかげんにしろ！バカモン
昼間からまくらなげなんかしてるやつがあるか！
まくらなんかどうしたんだ……
こっちこっちこの女

それ
両ちゃんに
ぶつける
専用のなの
きのう作って
もってきたの
わしは
マトあての
赤オニか
!!
毎日
フライパンじゃ
かわいそうと
思って 作って
きてあげたのよ
また はじめる
気か!
いいかげんに
しろ!
まったく
こいつらと
きたら
しまつに
おえんな…
おまえたちも
しってると
思うが
今度から
トラックの
取りしまりを
強化する
ことになった
でも
同じ交通課でも
白バイとか
ハイウエイ
パトロールの人たち
の仕事でしょ
わたしたち
婦警の仕事は
地味で
めだたなくて
不公平だわ
そうです
部長
それじゃ
あまりといえば
あまりです

栄養が
頭にいかず 全部
オッパイにいった
なんのとりえも
ない この女は
これから なにを
して 生きていけば
いいというんです
ザッ
わ わかった
ぼ ぼくが
いいすぎた
すまん
すまん!
それなら
麗子くん
白バイ隊員に
志願してみたら
どうかね
えっ
白バイ
女性でも
だいじょう
ぶなの?
現に
きみは
バイクを
のり回してる
じゃないか
そうだ
おまえは
バイクしか
とりえが
ないんだから
ちょうど
いい……
両津 そしたら
おまえ
かわりに
ミニパトに
のるか?
いえ…
本官は
今のままで
満足して
ますので…
でも
隊員に
なれるの
かしら?
パスすれば
だいじょうぶ
だよ
本田に
アドバイスして
もらえばいい

麗子くん だったら 白バイで なくて 赤バイだ!
はは はは…
がんばれよ 赤バイ おばさん!
ポン
もう!
54年7月 麗子は みごと パスし
特別に 白バイ 隊員として みとめられた
女性の隊員ということで かの女には 特注の赤バイが あたえられた!
MOTO GUZZI
警視庁
34-01

★週刊少年ジャンプ1979年32号

女の意地！の巻

MOTO《モト》 GUZZI《グッチ》 V《ブイ》100SP《スペシャル》
（イタリア）
4ストロークOHV《オーエッチブイ》 V《ブイ》2気筒
V《ブイ》100をベースとして 生まれた
ハイスピード クルージング バージョン
最高速度 200km/h《キロメートルアワー》
MOTO GUZZI

今日は わし ひとりっきりか……
麗子のやつ なんだかんだ いって とうとう 白バイ隊員に なりやがった
人間 やってみなきゃ わからん もんだな…
わしだって いつも うしろばかり でなく 前に のって みたいな
かっこいい だろうな
まず セルで 始動!
キュル キュル キュルーン
ボル… ボル… ボル… プスン
冬場は 調子 悪いな!
ふたたび セル始動
キュル キュル キュルン
ボス ボス ボス ボス… 今度は いいぞ

ギヤをおもむろにローにぶちこむ!
カチャキーン
ドルドルドカドカドカドガガガガガ
八千回転までいっきにひっぱる!
カンパツをいれずセコにぶちこむ!
コキン!
ババババババババババルンバルンバルバルバルンサード!トップ!
ギャーン
その時メーターはすでに100キロをこえていた
前方の車がうしろへとどんどんおいぬかれていく!
消火器
前の32―63の車とまりなさい!早くしろ!
きこえんのか!こらっ!
てめえきこえねえふりしやがって!
とっつかまえてやるまて!

ドバババ バルババ バルバル バルバラ バリバレ バロバル バルル
マッハ4・5
ミグまっ青！
きゃあーーっ
いてててちくしょう！
このタイヤは小さすぎるオフロードにはむかないようだ！
オイルブレーキもついてない！
あっ

なにやってるの？ちゃんと留守番してる？
ドウ
ドドドドド
おまえらか！
これから暴走トラックをやっつけにいくんですよ　ぼくら　2名は護衛です
そうそう
おまえらだけそんな大きいののりやがって！
ちぇっ　わしは　どうせ仲間はずれだよ

わしなんか ひとり さびしく イスと あそんで いれば いいんだ わしには どうせ チャリンコしか むいてない
先輩!
先輩の白バイもちゃんと用意してありますよ!
本当か!?
先輩用に特別につくりました
なんだこんなちいさいやつか!
警視庁
これならせまい道もスイスイですよ
それもそうだな…
これでガマンするか!
さあ それじゃあ 出発だ!

ガォォォォ
あら
両ちゃんが
いないわよ
えっ
おーい　おまえら
そんなに
とばすんじゃない！
こっちは50シーシー
だぞ！
ババババ
バム
わしの
速度に
あわせろ
バカ！
どうか
したの
かな…
キッ

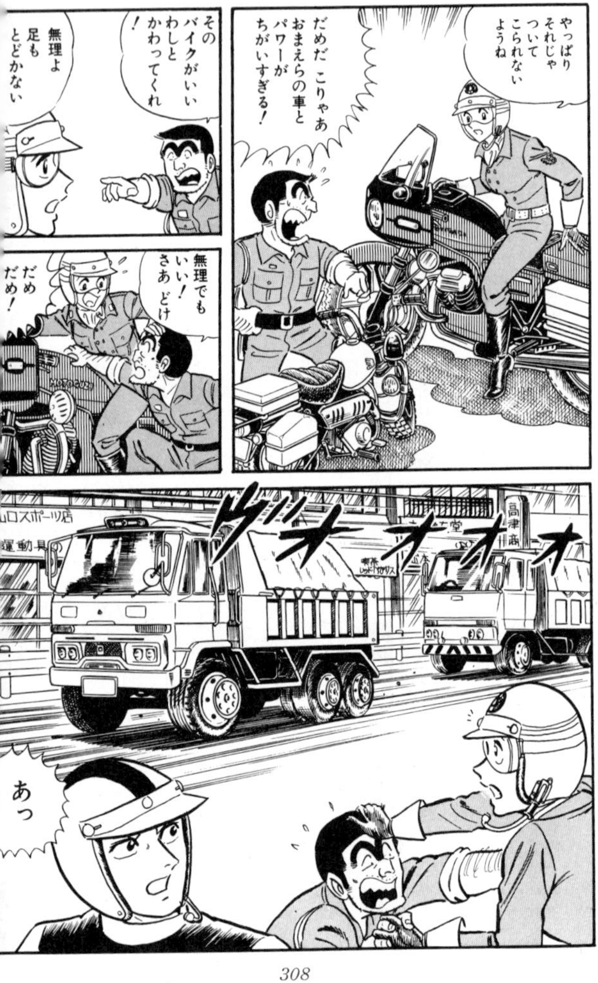

やっぱり それじゃ ついて こられない ようね
だめだ こりゃあ おまえらの車と パワーが ちがいすぎる!
その バイクがいい わしと かわってくれ!
無理よ 足も とどかない
無理でも いい! さあ どけ
だめ だめ!
ヴオオオオオ
あっ

係の
トラックだ
すごい
スピード
だしてるぞ
ドドドド
よっしゃっ!
ちゃんと
うしろに
のりな
さいよ!
ちぇっ
わかった
よ!
うおおおおっ
ギャアアアア
ウオン
えらい
スピード
だな!
すごい
運転ね
あいつのは
あれで
正常
なんだよ
おい 白バイが
えらい
いきおいで
くるぞ!
かまわん
ほっとけ!
な…
なんだっ
グデ
グラ
うわ?

てめえ! とまれってぃってんのがわかんねえのか!
とまれ このバカ!
ガン
ガン
ガン
クァン
うるせえ この車は とまらねえように できてんだ
ガガ
息のネから 先に とめてやろうか おい!
グイ
ひえーっ ごめんなさい 殺さないでください!
あいかわらず 荒っぽいわねえ! 両ちゃんに よく 似てるわ
どういう 意味だ!
のこりの 一台が スピード あげて にげたぞ!
グオオオ

あんな連中につかまったら大変だぞ早く 仲間のところへにげこめ!
わかってるよ!
おい!信号は赤だぞっ
こうなったら赤も 白もあるか!つっ走るのみだ!
ガオオオオオ
キッ
キキッ
ギギッ
キキイ!!
うわっ
わあーっ

メチャクチャにぶっとばしていっちまったよ!
このままじゃにげられてしまうわよ
石井外科医院
コーヒ専科
オカ
キキッ
なにやってんだじっとしてる場合か!
ガガガガガ
ドドド
ドキャオオ
ウオオン
徹底的においまくれとっつかまえるんだよ!
キキッ
グオン
キキッ
キーッ
ガガッ
キッ
ワオン
うおおーっ!

ようし こっちは近道でいくぞ!
ドドドドド
麗子はどうすんだ早く おえ!
今 考えてるんじゃない!
空をとべ それが一番 早い!
ムチャをいわないでよ
もう! ロクなことをいわないんだから……
地下鉄
SUBWAY 地下鉄
空はだめでも地下があるわ!
なに!?
田線のりば
普通旅客運賃表
地下鉄線
80円から220円
切符売場
定期はハッキリと見せろよ!
伝言板
地下鉄フリーキップ発売 地下ならどこでも行ける!

ブォォォォ
え？
国鉄
出口
地下鉄乗場
80~220
うわっ
今度の電車は
を出ました
国鉄線
出口
わっ
お買物は赤札堂へ

麗子 キップ 買うの わすれてる ぞ！
赤バイは フリーパスよ
こんな まっ暗なとこで 電車が きたら どうする気だ
その時は その時よ
おそろ しい！ 度胸が いいというか みさかいが ないと いうか……
トラックは 神田《かんだ》神保町《じんぼうちょう》方向に にげてるぜ 仲間のトラックが かなり ふえて きてるぞ！
そろそろ カタを つけるぜ！
了解！
ただちに 現場へむかう

くそ しつこいやつめ！
あっ あれを！
あっ
地下鉄
SUBWAY
もう にげられないわよ！
地下鉄
ヴォオオッ
くそ！
はじきとばしてやる！
麗子 ジャンプだ！

やった――っ!!
ガァアアアアアン
ズバッ
またハデにやったもんだな
女にしとくのはもったいないぜ
どう? 今度またデートしましょうか?
ひえーっ たすけてくれーっ まいったよ!

こちら葛飾区亀有公園前派出所㉒(完)

★週刊少年ジャンプ1979年33号

解説エッセイ「ボクの両さん」

安斎　肇（イラストレーター）

「僕は寅《とら》さん亡き後はァ『こち亀』だと思ってるんですよ」
ええええッ。ボクは突然の言葉に驚きを隠せないでいた。
「寅さんが居ないなら、両《りょう》さんですよ」
ええええッ。も一度驚くボクに、
「僕の憧れの人は両さんですから」
ええええッ。意外である。チョー意外である。ボクの前にいるのは、ある音楽雑誌の編集長である。彼は、そのマニアックでエキセントリックな音楽ファンの雑誌のシンボルである。少なくともボクはそー思っている。何故なら彼の知識は突出していて、ボクの音楽四方山《よもやま》話などどこ吹く風。右に左に最後はいつもボクらを唸らせた。そんな音楽通の彼の憧れが両さん。どーなってるんだ。音楽に感銘を受け、その影響でこそボクは生きている、そー思う。いやそー思わなければ生きられない。

何故なんだろう。ジョン・レノンやジミ・ヘンドリックスではない、彼の、彼の憧れとは。21世紀に差しかかろーかとゆーこの時代に。音楽の核の核を語る彼が、両さんを出すのか。音楽の行方は。ボクはしばらく考えた、考えていた。

両さんは演歌が好きだ。

亀有に行こうと思ったのは、それほどの考えがあったからではなかった。行けば何かに会えるとも思わなかったし、何か答えがみつかるとも思わなかった。とりあえずボクは亀有に行った。

東京駅の銀《ぎん》の鈴《すず》で待ち合わせたのは、ボクの大好きな友達で、同じ事務所の温水洋一《ぬくみずよういち》くんだ。パフィーとのCMで「ティース」とか言ってた名俳優なのだ。彼は両さんの事をどう思っているのだろう。彼はいつもの彼だった。決して気負わずに。ボクと同じ気持ちの、ボクと同じ状態で、亀有に行く事。それが大事だとボクは思った。それでもボクらは、東京駅で買った『両さん人形焼』と『薄皮草まんじゅう』と『もんじゃ焼せんべい』をかかえて、出発した。

東京駅から亀有は遠く感じた。その遠さが、ボクらのこの小さな旅を少しだけ大きな旅にしてくれているよーで、ちょっと嬉しかった。揺れる電車の中で『草まんじゅう』をパクリとしながら、ボクらは全然別の話をしていた。その時までは。
亀有駅に着いて、ボオオーッとしていたのはボクだった。30数年前、遠い親戚のオジさんの家に来て以来の亀有。この街はボクの想像以上に未来の都市へと変貌している。当たり前の事にショックを受けた。
それにしても、北口の交番を覗き込んで、両さんを捜すボクらの間抜けさときたら『ドッキリカメラ』そのものだったに違いない。
「ここじゃないですよ」
温水くんはガサゴソとまんじゅうの入った黄色い袋を振りながら言った。
パンパンパーン。力強く布団をたたく音が向かいの建物から響いてきた。亀有公園。2組の極真《きょくしん》空手らしき練習をする男の人達。キャッチボールをする親子。4人の孫を見守るおばあちゃん。たくさんの子供。たくさんのハト。ベンチに腰掛け、『両さん人形焼』をパクリとした。
「この辺りですかね」
環七に面した横断歩道の前で、ボクらは立ち止まった。あそこにビデオショップ。あそこにパチンコ屋さん。ここじゃ両さんも落ち着かないハズだ。チンチンチン。呑気なボクらの後ろから凄いスピードでやってきた自転車。前に子供を乗せた父さんと母さん。亀有は自転車が多い。
「ちょいとコーヒーでもどうですか」
黒鳥ならぬ喫茶白鳥に入る。テーブルになったTVゲームを見ながら、温水くんが言い出した。
「そおいえば、インベーダーゲームとかやってましたよね、両さん」
そおいえば、ボクはおしっこがしたかった。トイレを借りる。白鳥のトイレは外のドアの鍵を掛けないといけない。ドアを開けたおばちゃんは外で腕組みして待ってた。バツ悪し。
お風呂屋さんに行ってみた。なんか感動したな。だっておなじなんだもんな、世界が。何度もウロウロとするボクら。入口にウンコ座りしたケータイかけてる男の子が、カアー、ペッとツバを吐く。ギロリ。
ときわ食堂に行く道で、大きなウィンドウに描かれたリンゴ・スターを発見。ジョンでなく、ポールでなく、ジョージでなく、リンゴ。いいねえ、と立ち止まるボクらの後に列ができた。おっと、ここはバス停だ。
日曜の夕方、野球チームやらで混み合うときわ食堂を見送り、香取神社へ。大きな木に囲まれると、ホッとする。ホッと。
「もどりましょう」
ときわ食堂は混んでいても入れてくれる。もちろん相席だ。ビールを頼む。ここには一人席があって四角い小さなテーブルは壁に向かっている。その席は空くと、また誰かがその席目指してやってくる。途切れる事がないんだ。グビグビグビ。
「小学校の時、初めて読んでから、派出所の前を通る度に、どきどきしてましたよ」
温水くんは、ほんのり紅くしてそう言った。どきどきした。派出所の奥の部屋は、楽しい楽しい場所。あんな恐い顔したおまわりさんも、ニコニコなのだ。楽しくなけりゃ、ボクらはやってらんない。楽しくなけりゃ両さんはすぐどっか行ってしまう。楽しいから、楽しいと思えるから、ボクは、ボクらはこーしている。
憧れるって、そうゆうことなんだ。ボクはちょっとだけ両さんと旅した気になった。ちょっとだけ。だって、本当に一緒だったら、そりゃ、大騒ぎだったでしょ。

掲載作品は集英社より刊行されたジャンプ・コミックス『こちら葛飾区亀有公園前派出所』第15巻（1980年11月）第16巻（1981年1月）第17巻（同4月）の中から、著者自らが精選して収録したものです。

7月新刊　大好評発売中

夢《ゆめ》幻《まぼろし》の如《ごと》く 7 〈全8巻〉
本宮ひろ志

本能寺で死んだはずの織田《おだ》信長《のぶなが》。彼は奇跡の生還を遂げ、秀吉《ひでよし》の前に現れた！天下統一の夢を超えた信長の新たなる野望とは…!?

とっても！ラッキーマン 7 8 〈全8巻〉
ガモウひろし

①②ラッキークッキーあとがきー　ガモウひろし

日本一ツイてない中学生・追手内《ついてない》洋一《よういち》が、幸運の星から来たラッキーマンと合体すればツイてるヒーローに大変身！宇宙の悪に挑む！

こち亀文庫 17
秋本　治

各巻　巻末企画「当世流行目録《はやりもの》」「伊達男・看板娘評判記」

前人未到のコミックス160巻を突破した長人気作『こち亀』が再び文庫で登場！笑いと興奮、そしてなつかしネタ満載の101巻からを収録！

浅田弘幸作品集2 眠兎《ミント》 〈全2巻〉
浅田弘幸

あとがき　浅田弘幸

暗い過去を持つ二人の少年、空木《うつぎ》眠兎《ミント》と小泉《こいずみ》時雨《しぐれ》が、お互いを意識し、ぶつかり合う！　浅田弘幸が描くコミック叙情詩、待望の文庫化!!

BADだねヨシオくん！ 2 〈全3巻〉
浅田弘幸

新たなライバルあらわる！そしてヨシオの父の謎に迫るバトルGP《グランプリ》第2戦スタート!!　読切『しやわせ家族戦士プリチーバニー』も収録。

集英社文庫〈コミック版〉

ラブホリック 5〈全5巻〉
宮川匡代
③同時収録「love must go on」「in the showcase」
④同時収録「Somebody loves you」⑤同時収録「love must go on」

シゲルは食品メーカーで働くOL。口の悪い上司・朝比《あさひ》奈《な》課長には怒られてばかり。でも最近、男として意識し始め!? 新世紀オフィスラブ!

花になれっ! 9〈全9巻〉
宮城理子
①解説エッセイまんが⑨あとがきエッセイまんが　宮城理子

地味な女子高生・ももは、ひょんな事から超イケメンな蘭《らん》丸《まる》の家で住み込みメイドをする事に。その上、蘭丸の手でキレイに変身して!?

ラブ♥モンスター 1〈全7巻〉
宮城理子
①解説エッセイまんが　宮城理子

SM《セントモンスター》学園に入学したヒヨを待っていたのは、イケメン生徒会長・黒羽《くろう》をはじめ、個性豊かな妖怪たちで…!? 妖怪ラブ♥ファンタジー。

谷川史子初恋読みきり選 ごきげんな日々
谷川史子

誰もが経験したことのある初めての恋…。あの日に感じた、切なくて甘酸っぱい気持ちを鮮やかに描いた、珠玉の初恋読みきり選。

谷川史子片思い作品集 外はいい天気だよ
谷川史子
あとがき　谷川史子

付き合っていても距離を感じる恋人同士…、一方通行な想いに悩む彼女など…。様々な片思いのかたちを繊細に綴った、片思い作品集。

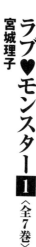

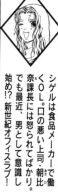

ASRAC 出9812835-801

集英社文庫(コミック版)

こちら葛飾区亀有公園前派出所《かつしかくかめありこうえんまえはしゅつじょ》 22

1998年12月16日 第1刷
2009年7月31日 第2刷

定価はカバーに表示してあります。

著 者 秋《あき》 本《もと》 治《おさむ》

発行者 太田富雄

発行所 株式会社 集英社
東京都千代田区一ツ橋2－5－10
〒101-8050
03（3230）6251（編集部）
電話 03（3230）6393（販売部）
03（3230）6080（読者係）

印 刷 図書印刷株式会社

ISBN4-08-617122-8 C0179